KB067236

Fushigi Dagashiya Zenitendô 15
Text copyright © 2021 by Reiko Hiroshima
Illustrations copyright © 2021 by jyajya
First published in Japan in 2021 by KAISEI-SHA Publishing Co., Ltd., Tokyo
Korean translation rights arranged with KAISEI-SHA Publishing Co., Ltd.
through Japan Foreign-Rights Centre/Shinwon Agency Co.
Korean translation copyright © 2022 Gilbutschool

이상한 과자 가게
전천당
15

길벗스쿨

목차

이상한 과자 가게

전천당

15

히로시마 레이코 글 · 쟈쟈 그림 · 김정화 옮김

프롤로그

괴지 기계 〈전천당〉의 주인 베니코가 커다란 여행용 가방에 과자와 장난감 들을 부지런히 채워 넣고 있다.

그런 베니코를 조그만 금색 마네키네코들이 둘러싸고 있다. 차례로 과자를 나르며 짐 싸는 걸 돕는 마네키네코들이 있는가 하면 물끄러미 지켜보기만 하는 마네키네코들도 있다.

마침내 커다란 가방이 빈틈없이 꽉 찼다.

"됐습니다. 〈바이바이 파이〉도 챙겼고, 〈젠틀 젤리〉와 〈근육질 라테〉도 넣었사옵니다. 행운의 손님을 고를 팔각 상자도 넣었으니 이 정도면 됐사옵니다. 도와줘서 고맙습니다. 그럼 이만, 다녀오겠사옵니다."

자리에서 일어서는 베니코에게 마네키네코 하나가 물었다.

"냐아?"

"언제 돌아오냐고요? 쪽지를 보낸 S, 그러니까 세키노세 씨를 만나 이런저런 이야기를 듣기는 했사옵니다만, 도무지 믿고 싶지가 않더군요. 〈전천당〉을 망하게 하려는 연구소가 있다니, 기가 막혀서!"

"냐냥 우냐앗?"

"아닙니다. 세키노세 씨가 거짓말을 하는 것처럼 보이지는 않사옵니다. 그래도…… 어찌 됐든 미리미리 대비해야 좋지 않겠습니까. 일단 가게 문은 잠시 닫고, 예전처럼 여기저기 돌아다니며 장사를 해 볼 생각입니다. 가게가 닫혀 있으면 연구소인가 뭔가 하는 곳에서도 포기할지 모르고요. 무엇보다 우리에게 손님을 보낼 수도, 우리를 해코지할 수도 없을 테니까요."

베니코는 덧붙였다.

"게다가 여기저기 다니다 보면 다양한 정보도 모을 수 있을 겁니다. 우리가 꼭 알아야 하는 정보 말입니다."

"냐아앙?"

"네, 그렇지요."

베니코는 눈을 가늘게 떴다.

"……만약 그 연구소인지 뭔지가 정말로 우리 〈전천당〉이 하는 일에 참견하는 거라면……, 그리고 그게 절대 용납할 수 없는 일이라면 그때는 이 베니코도 가만있지 않을 것입니다. 물론 그런 일이 생기지 않기를 바라고 있사옵니다. 뭐, 웬만한 일이라면 짓궂은 장난쯤으로 여기고 눈감아 줄 수도 있고요."

그렇게 말하고서 베니코는 허리를 살짝 숙여 여행용 가방의 손잡이를 잡았다. 그 틈을 타 검은 고양이 스미마루가 베니코의 어깨 위로 훌쩍 뛰어올랐다.

"이런, 스미마루. 이번에는 스미마루에게 가게를 지켜 달라고 부탁드릴 참이었습니다만…… 표정을 보아하니 저랑 같이 가실 생각인가 보군요. 어쩔 수 없지요. 그럼 같이 가 보실까요?"

베니코는 스미마루의 턱을 살살 간질여 주고는 마네키네코들을 돌아보았다.

"그럼 가게를 잘 지켜 주세요. 무슨 일이 있으면 〈연락 기러기〉를 보내시고요."

"냐아아앙."

마네키네코들이 잘 다녀오라며 베니코와 스미마루를
배웅했다.

시크릿 알약

열두 살 아이네는 입이 근질근질했다. 친구 아유미의
비밀을 알게 됐기 때문이다. 오늘 학교에서 아유미가 귓
속말로 말해 주었다.

"아무한테도 말하면 안 돼. 사실, 나 유마 좋아해."

"뭐야, 장난치지 마! 진심이야?"

아유미가 갑자기 자기가 좋아하는 남자아이 이야기를
꺼내자 아이네는 눈을 반짝거렸다. 아이네는 아유미의 두
눈을 똑바로 쳐다보면서 작게 속삭였다.

"유마를 좋아한다니 무슨 말이야? 언제부터? 무슨 일이
있었는데?"

"너도 참, 하나씩 물어봐."

발그레해진 얼굴로 아유미는 왠지 자랑스러운 듯이 말했다.

"실은 얼마 전부터 관심이 생겼어. 유마가 엄청 다정하잖아. 키도 크고. 한번 괜찮다고 생각하니까 자꾸 마음이 가더라."

"뭐?"

"그래서 미리 말해 두는데, 아이네 너!"

아유미는 눈을 새초롬하게 뜨고서 말을 이었다.

"내가 먼저 좋아했으니까 유마한테 관심 가질 생각 마. 알았지?"

'그럼 그렇지. 이 말을 하려고 비밀을 털어놓았구나.'

아이네는 고개를 끄덕였다.

"알았어. 어차피 유마는 내 스타일 아니거든. 그러니까 걱정 마."

"어머, 너 말이 심한 거 아냐?"

"그럼 뭐라고 해 줄까?"

"어휴, 아이네 넌 은근히 쌀쌀맞다니까. 그리고 이건 비밀이야. 다른 애들한테 절대 말하면 안 돼. 약속해! 만약 약속 어기면…… 나 정말 안 참아!"

"그걸 내가 왜 말하냐? 날 뭘로 보고! 비밀은 반드시 지킨다고!"

그렇게 찰떡같이 약속해 놓고서 학교 수업이 다 끝나갈 무렵 아이네는 누군가한테 그 말을 하고 싶어서 견딜 수가 없었다.

'아아, 말하고 싶어! 너무너무 말하고 싶어! 아유미가 유마를 좋아한다고 마구 떠들고 싶어!'

하지만 말하지 않겠다고 약속했다. 만약 누구한테든 비밀을 털어놨다가 아유미가 그 사실을 알게 되면 틀림없이 크게 싸울 것이다.

'아무리 그래도 더는 못 참겠어. 어떡하지? 집에 가서 엄마한테만 말할까? 아냐, 안 돼, 안 돼.'

엄마는 아이네보다 훨씬 더 수다쟁이다. 엄마에게 말했다간 학부모회에서 만난 다른 엄마들한테 모조리 이야기해서 결국 반 아이들 모두가 알게 될 것이다. 그렇게 되면 아유미는 정말 아이네를 용서하지 않을 것이다.

이런 생각을 하며 아이네는 자기가 이렇게 입이 가벼웠나 싶어서 적잖이 놀랐다.

"아, 근질근질해! 입에 자물쇠라도 채울 수 있으면 좋겠어! 아니면 지퍼나 접착제? 어쨌든 비밀을 지킬 수만 있다면 무슨 일이든 하고 싶어.”

진심으로 그렇게 바랐을 때다.

“저, 거기 꼬마 아가씨.”

누군가 부르는 부드러운 목소리에 아이네는 뒤를 돌아보았다.

좁은 공터에 아주 신기한 모습을 한 아주머니가 서 있었다. 새하얀 머리카락에 예쁜 유리구슬이 달린 비녀를 잔뜩 꽂고, 옛날 동전 무늬가 새겨진 자주색 기모노를 입고 있었다. 무엇보다 아주 크다. 아이네의 아빠보다도 키가 크고, 몸집도 듬직했다.

아주머니는 손에 캔 커피를 들고 있었고, 옆에는 낡고 큼직한 여행용 가방이 놓여 있었다. 게다가 그 옆에서는 검은 고양이가 접시에 담긴 우유 같은 것을 할짝거리고 있었다.

아주머니가 “이리 와요.”라고 말하는 것처럼 아이네에게 손짓했다. 평소라면 아이네는 모르는 척했을 것이다. 부모님과 선생님이 낯선 사람이 말을 걸면 뒤도 돌아보지 말고 도망치라고 늘 단단히 일러두었기 때문이다.

그러나 왠지 그럴 수가 없었다. 도망치기는커녕 아주머니의 미소에 이끌려 아이네는 공터로 발걸음을 옮겼다.

정신을 차렸을 때는 이미 아주머니 코앞에 서 있었다. 가까이에서 보니 아주머니는 말문이 막힐 정도로 몸집이 컸다. 아주머니는 그 큰 몸을 굽혀서 아이네를 들여다보더니, 기묘한 말을 중얼거렸다.

"스미마루와 잠깐 쉬려던 참이었는데, 그사이에 손님을 이렇게 뵙게 되었군요. 이 또한 얼마나 큰 행운인지 모르겠사옵니다."

"저, 저어……."

"아, 이런! 실례했사옵니다. 아무래도 꼬마 아가씨가 고민이 있으신 것 같아서 말입니다. ……이루고 싶은 소원이 있으십니까? 무엇이든 말씀해 보십시오."

마음에 스며드는 듯한 묵직한 목소리에 아이네는 머리가 아득해졌다. 그리고 정신이 들었을 때는 입을 벌려 바라는 걸 말하고 있었다.

"비밀을…… 지킬 수 있었으면 좋겠어요."

아주머니는 "오호!" 하고 기뻐하며 눈을 가늘게 떴다.

"그렇군요! 그래요, 비밀을 안고 있으면 참으로 지키기

어렵지요. 좋사옵니다. 마침 손님한테 딱 맞는 상품이 있으니 한번 보시겠습니까?"

그렇게 말하며 아주머니는 옆에 있던 여행용 가방을 탁 열었다. 가방 안을 들여다본 아이네는 헉하고 숨을 삼켰다.

여행용 가방 안에는 아이네가 한 번도 본 적 없는 과자와 장난감이 빼곡하게 들어 있었다.

〈멜로디 캔디〉, 〈점술 캔〉, 〈해야 떠라 레몬〉, 〈천벌 뽑기〉, 〈자장자장 모나카〉, 〈파이어 스티커〉, 〈프렌드 도넛〉, 〈인기 통통 떡〉, 〈귀족 마시멜로〉.

하나같이 너무나 매력이 넘쳐서 보고만 있어도 가슴이 빠르게 뛰었다.

아이네가 넋을 놓고 있는 사이 아주머니가 여행용 가방 안에서 작고 하얀 플라스틱 상자를 꺼냈다. 손바닥 위에 올려놓을 만한 크기에, 높이는 1센티미터 정도. 상자 뚜껑에는 열쇠와 자물쇠 그림이 나란히 그려져 있고, 자두처럼 새빨간 글씨로 '시크릿 알약'이라고 쓰여 있다.

아이네는 조그맣게 소리를 지르고 말았다. 그걸 보는 순간 알았다. 자기를 위한 과자라는 걸. 어떻게 해서든 꼭 갖고 싶었다.

눈을 반짝이며 〈시크릿 알약〉을 바라보는 아이네에게 아주머니는 살며시 속삭였다.

"이 〈시크릿 알약〉은 비밀을 지키고 싶을 때 안성맞춤 인 사탕이옵니다. 가격은 100엔입니다. 어떻사옵니까?"

물론 아이네의 대답은 정해져 있었다.

"살게요!"

그렇게 말하고서 아이네는 얼른 가방 안에 손을 넣었 다. 무슨 일이 있을 때를 대비해 100엔 동전 한두 개쯤은 늘 가방에 넣어 가지고 다녔기 때문이다.

그 100엔을 내밀었더니 아주머니는 빙긋 웃었다.

"네, 네, 오늘의 행운 손님. 1998년에 발행한 100엔 동 전이 맞사옵니다. 자, 〈시크릿 알약〉을 받으십시오."

"고맙습니다! 우아, 신난다!"

"한 가지 비밀에 〈시크릿 알약〉을 한 알씩 드십시오. 그러다 보면 점점 비밀을 지키는 습관이 몸에 밸 것이옵 니다. 하지만 비밀이라고 해서 언제나 무조건 지켜야 하 는 것은 아니옵니다."

수수께끼 같은 말을 중얼거린 다음 아주머니는 검은

고양이 쪽을 돌아보았다.

"스미마루, 이제 다 드셨습니까?"

"냐아."

"그럼 치우겠습니다."

아주머니는 검은 고양이가 핥던 접시를 쓱쓱 닦아 여행용 가방에 넣었다. 그리고 고양이를 자기 어깨에 태운 다음 "그럼 실례하겠사옵니다."라는 말을 남기고 아이네에게서 멀어져 갔다.

아이네는 이미 아주머니한테는 눈길도 주지 않고 있었다. 오로지 손에 쥔 〈시크릿 알약〉만 바라봤다.

'근사해. 정말 오로지 나만을 위한 사탕이라는 느낌이 팍팍 들어. 조금 먹어 볼까? 물론 이런 사탕 하나로 비밀을 지키게 된다는 말을 곧이곧대로 믿을 순 없지만 어쨌든 먹어 보자.'

아이네는 〈시크릿 알약〉 뚜껑을 열었다. 상자 안에는 동그란 알약 모양의 자주색 사탕이 가득 들어 있었다. 크기는 살구씨 정도인데 자세히 들여다보니 표면에 알파벳 'S' 자가 새겨져 있고 그 위에 가위표가 겹쳐져 있었다.

달콤하고 상큼한 냄새가 코를 살살 간질여서 입에 금

방 침이 고였다. 아이네는 얼른 한 알 집어서 입 안에 넣었다.

"와, 맛있어!"

알약 사탕은 아이네가 좋아하는 매실 맛이었다. 새콤한 데다 살짝 짭조름해서 맛이 기가 막혔다.

자기도 모르게 한 알 더 먹어 치우고 또 한 알을 더 먹으려고 손을 뻗었을 때다.

"아이네 맞지? 거기서 뭐 해?"

느닷없이 누군가 자기를 부르는 소리에 아이네는 기겁해서 돌아봤다. 같은 반 친구인 시즈카가 이상하다는 듯이 아이네를 보고 있었다.

아이네는 얼른 〈시크릿 알약〉을 주머니에 감추고 웃어 보였다.

"아, 아무것도 아니야. 좀 전에…… 커다란 도마뱀이 이쪽 공터로 들어가길래 쫓아왔어."

"도마뱀? 웩, 징그러워! 선생님이 한눈팔지 말고 곧장 집에 가라고 하셨잖아. 가는 길까지 같이 가자."

"응."

아이네는 시즈카와 함께 걷기 시작했다.

그때 시즈카가 눈을 반짝이며 속삭였다.

"근데 너 아까 교실에서 아유미랑 속닥거리더라. 둘이 무슨 얘기 했어?"

'어떡해. 난처해졌어.'

아이네는 마음이 조금 초조해졌다. 시즈카가 그렇게까지 물으니 도저히 비밀을 지킬 자신이 없다. 안 그래도 누구한테든 나불거리고 싶어서 안달인데 큰일이다.

'어떡하지?'

당황하던 아이네는 문득 깨달았다.

'어? 떠들고 싶은 마음이 안 들잖아!'

방금 전까지 그렇게 자기를 괴롭히던 비밀의 무게가 말끔히 사라졌다.

'정말로 〈시크릿 알약〉 덕분일까? 그런 과자가 진짜 효과가 있단 말이야?'

이런 생각에 빠져 있는 아이네에게 시즈카가 물었다.

"아이네, 너 오늘 좀 이상해. 왜 입을 꾹 다물고 있어?"

"으응, 미안. 생각할 게 좀 있어서. 아, 아유미하고 말이지? 별말 안 했어. 그냥 내일 급식에 싫어하는 거 나오면 서로 바꿔 먹자는 얘기였어."

입에서 거짓말이 술술 나왔다. 덕분에 아유미의 짝사랑은 아이네의 마음속에 고이 머물게 되었다.

아이네는 자기가 친구의 비밀을 지켰다는 사실에 뿌듯해했다. 시즈카는 "뭐야? 그런 거였어?"라며 아이네 말을 믿고 넘어갔다.

집 앞에서 시즈카와 헤어진 뒤 아이네는 〈시크릿 알약〉을 꺼내서 가만히 보았다.

상자를 뒤집어 봤더니 바닥 부분에 이런 말이 쓰여 있었다.

〈시크릿 알약〉
'시크릿 알약'만 있으면 비밀 지키기 성공! 어떤 비밀도 '시크릿 알약' 한 알만 먹으면 지킬 수 있다. 비밀 한 가지에 알약 사탕 한 알! 맛있다고 계속 먹으면 먹은 알약 사탕 수만큼 비밀을 지켜야 하니 주의할 것.

예상대로 〈시크릿 알약〉 덕분이었다는 생각이 드는 동시에 아이네는 조금 불안해졌다.

"참, 아까 두 알을 한꺼번에 먹어 버렸잖아……. 그 아주머니가 한 가지 비밀에 한 알씩 먹으라고 말했는데 맛있어서 그만……. 뭐, 괜찮겠지? 어차피 다음 비밀도 지키게 된다는 거잖아? 그런 거라면 문제없지."

어쨌든 이제 아유미와 했던 약속을 지킬 수 있게 되었다. 비밀을 말하고 싶어서 술렁이던 마음속 외침이 사라지자 기분이 아주 산뜻했다.

다음 날, 아이네는 〈시크릿 알약〉을 주머니에 몰래 숨긴 채 즐겁게 학교로 갔다.

"말하지 않겠다고 약속할 일이 또 생길지도 모르잖아. 그때 〈시크릿 알약〉이 없으면 곤란할 테니까."

그렇게 스스로 이유를 들며 교실에 들어서던 아이네는 깜짝 놀랐다.

아이네는 평소 부지런을 떠는 성격이라 언제나 반에서 가장 먼저 교실에 도착한다. 그런데 오늘은 어쩐 일인지 아유미가 일찍 와 있었고, 행동거지도 어딘가 수상쩍었다. 자기 책상이 아닌 다른 아이의 책상 안을 들여다보고는 손을 넣는 게 아닌가.

"아유미, 너 뭐 하고 있어?"

"꺄아악!"

아이네가 말을 붙이는 순간 아유미는 소스라치게 놀라며 펄쩍 뛰었다. 몸을 돌려 아이네인 것을 확인한 다음에야 한숨을 내쉬었다.

"뭐야, 아이네! 왜 사람을 놀라게 하니?"

"내가 놀라게 한 게 아니라 네가 제풀에 놀란 거잖아! 그건 그렇고 거기 유마 자리 아냐? 뭐 하고 있었어?"

"아, 아니……."

아유미는 묘하게 긴장한 표정으로 얼른 손을 뒤로 감추었다. 허둥거리는 모습을 보자 아이네는 감이 딱 왔다.

"너, 유마 물건을 가져갔지? 뭘 꺼낸 거야?"

"아니라니까. 그런 짓을 내가 왜 해?"

"거짓말. 그럼 손에 들고 있는 거 보여 줘."

"……."

마침내 아유미는 포기한 듯이 손을 앞으로 내밀었다. 손에는 작은 칼이 들려 있었다. 길이는 20센티미터쯤 되지만, 칼날이 날카롭게 서 있어서 진짜 칼이랑 똑같았다.

이 칼이라면 아이네도 본 적이 있다. 편지 봉투를 열 때 쓰는 종이칼인데, 유마가 애지중지하는 물건이다.

"아유미 너!"

"아, 아니, 어쩔 수 없었어! 사랑 점을 보고 싶은데 그러려면 유마의 소지품이 필요하단 말이야."

"아무리 그래도 그렇지……."

"무, 물론 나중에 도로 가져다 놓을 생각이었어. 그러니까 제발 비밀로 해 줘! 부탁이야! 이 일 아무한테도 말하지 않겠다고 약속해 줘. 우리 친구잖아."

애원하는 아유미의 눈이 무섭게 번득였다. 아이네는 고민 끝에 아무한테도 말하지 않겠다고 어렵사리 약속을 하고 말았다.

조금 뒤 반 아이들이 하나둘씩 잇따라 교실로 들어오는 바람에 아이네와 아유미는 아무 일도 없었다는 듯이 인사를 건넸다.

마침내 선생님이 들어오시고 여느 날처럼 수업을 시작했다.

그러나 아이네는 조마조마했다. 아유미가 한 짓이 자꾸만 생각나서 마음이 편치 않았다.

좋아해서라지만 아무리 그래도 남의 소지품을 멋대로 가져가는 건 나쁜 행동이다. 유마는 종이칼이 없어졌다는 사실을 아직 눈치채지 못한 것 같은데…….

'아유미가 빨리 사랑 점인지 뭔지를 끝내고 종이칼을 제자리에 가져다 놓아야 할 텐데.'

아이네는 그런 생각으로 머리가 복잡해져서 수업에 집중할 수가 없었다.

다만 이번에는 비밀을 털어놓고 싶다는 생각이 조금도 들지 않았다. 어제 〈시크릿 알약〉을 한 알 더 먹었기 때문일 것이다.

아이네는 마음이 뒤숭숭했지만 한편으로는 〈시크릿 알약〉의 효과가 정말 대단하다고 생각했다.

그런데 점심시간에 결국 일이 터지고 말았다. 유마가 종이칼이 없어진 걸 알아차린 것이다.

교실이 순식간에 발칵 뒤집혔고, 곧바로 한 아이가 범인으로 의심을 받았다.

하루토였다.

하루토가 평소 유마의 종이칼을 탐냈었다는 사실을 모르는 아이는 없었다. 자기가 모은 캐릭터 카드와 바꾸자고 끈질기게 유마를 졸라 댔기 때문이다.

"네가 가져갔지?"

화가 나서 얼굴이 시뻘게진 유마가 다짜고짜 하루토에게 따져 물었다.

"아냐! 나 아니라고!"

"거짓말하지 마! 빨리 내놔, 이 도둑놈아!"

"내가 안 가져갔다니까! 미, 믿어 줘!"

하루토는 금방이라도 울음을 터뜨릴 것 같은 표정이었다. 그러나 아무도 하루토의 말을 믿지 않았다.

아이네는 자기도 모르게 아유미를 바라보았다. 그러나 아유미는 모른 척 가만히 앉아 있었다. 이대로 시치미를 떼고 하루토에게 덮어씌울 작정인 모양이다.

아이네는 아유미를 노려보았다. 따가운 눈초리를 느꼈는지 아유미가 아이네 쪽을 돌아보며 멋쩍게 웃었다.

"하루토에게는 미안하지만 이렇게 된 거 어쩔 수 없잖아."라고 말하는 아유미의 목소리가 들리는 것만 같았다.

아이네는 울컥 화가 치밀었다.

'더는 안 되겠어. 아유미가 내 친구이긴 하지만 이렇게 계속 입 다물고 있을 순 없어.'

아이네는 "하루토가 가져간 게 아니야."라고 말하려고 했다. 그런데 어떻게 된 일인지 말이 나오지 않았다. 혀가

마비라도 된 것처럼 움직이지 않았다.

연거푸 시도해 봤지만 결과는 마찬가지였다. 말이 나오지 않아 쩔쩔매고 있는 사이 선생님이 와서 유마와 하루토를 교무실로 데리고 갔다.

아이네는 입술을 깨물며 어찌 된 일인지 곰곰 생각해 보았다.

아마도 〈시크릿 알약〉의 힘일 것이다. 비밀을 말하고 싶은 마음을 없앨 뿐만 아니라 절대로 말하지 못하게 만드는 것 같다.

'내가 비밀을 지키면 하루토가 도둑으로 몰려. 그건 옳지 않잖아. 어떡하면 좋을까?'

아이네는 여자 화장실로 뛰어 들어가 주머니에서 〈시크릿 알약〉을 꺼냈다. 어쩌면 상자 어딘가에 알약의 효과를 없애는 방법이 적혀 있을지도 모른다고 생각하며 상자를 구석구석 살펴보았다. 그러나 알고 싶은 내용은 어디에도 쓰여 있지 않았다.

아이네는 실망하며 뚜껑을 열었다. 상자 안에는 알약 사탕이 잔뜩 남아 있었다. 마법 같은 이 사탕이 어제는 고마웠는데 오늘은 원망스러울 따름이었다.

"이렇게 될 줄 몰랐는데……. 아아, 왜 두 개씩이나 먹어서는……!"

안절부절못하면서 손가락 끝으로 알약 사탕을 꾹꾹 누르고 있었을 때다. 사탕이 푸슬푸슬 부스러지면서 그 밑으로 종이가 보였다. 무언가 적혀 있었다.

아이네는 얼른 종이를 잡아당겼다. 얇은 한지에 이런 글이 쓰여 있었다.

〈시크릿 알약 사용 방법〉

알고 있는 비밀을 종이에 적어서 누군가에게 보여 주면 알약의 효과는 사라진다. 그러나 별로 권장하지는 않는다. 왜냐면 그럴 경우, 당신의 비밀 한 가지가 들통나기 때문이다. ……

거기까지 읽고 아이네는 얼굴이 하얗게 질려 버렸다.

아이네한테도 비밀은 있다. 초등학교 3학년 때 바지에 오줌을 싼 일이라든가, 사실은 콧구멍 후비는 걸 좋아한다든가…….

하지만 이 가운데 어떤 비밀도 다른 사람들에게 들키

고 싶지 않았다.

'내 비밀 한 가지를 반 아이들한테 들키게 된다고? 내가 뭘 잘못했다고 그런 벌을 받아야 해? 내가 뭘 위해서 거짓말이라고 털어놓겠어? 하루토를 위해서? 아냐, 하루토가 불쌍하긴 하지만 도저히 안 되겠어. 진짜 도둑은 따로 있으니까 다들 곧 진실을 알게 될 거야.'

그렇게 생각하고 아이네는 교실로 돌아갔다. 교실은 흥분한 아이들의 목소리로 떠들썩했다.

"난 하루토가 언젠가 그럴 줄 알았어."

"걔 말고 달리 또 누가 있겠냐? 그렇게 갖고 싶어 하더니…….."

"하지만 가방에도 없고 책상 안에도 없잖아!"

"잠깐! 너희들, 하루토 물건을 함부로 뒤지고 그러면 안 되지!"

"뭐 어때? 하루토는 유마 물건을 훔쳤는데."

"맞아. 우리가 찾아내서 유마한테 돌려주자. 유마가 안쓰럽잖아."

되는대로 떠들어 대는 반 아이들을 보고 아이네는 오싹 소름이 끼쳤다. 아이들은 이미 하루토를 도둑으로 단정하고 있었다.

아이네는 아유미를 쳐다보았다. 그런데 아유미가 여자 아이들 몇 명과 모여서 의기양양한 얼굴로 "역시 하루토 였구나. 친구 물건을 훔치다니 정말 못됐네!"라고 말하고 있는 게 아닌가.

아유미의 말을 듣는 순간 아이네는 안에서 무언가가 뚝 끊어지는 듯한 느낌이 들었다.

'무슨 말이야! 자기가 가져갔으면서! 됐어! 아유미 같 은 애는 친구도 아니야. 저렇게 자기밖에 모르는 아이일 줄이야!'

마음을 정한 아이네는 자기 자리로 가서 공책을 펼치 고 글을 쓰기 시작했다.

이런 소동에도 꿋꿋이 혼자 앉아서 무언가를 쓰고 있 는 아이네가 이상했는지 시즈카가 다가와 물었다.

"아이네, 무슨 일이야?"

시즈카는 아이네의 공책을 들여다보고는 헉하고 숨을 삼켰다.

"말도 안 돼……. 이, 이게 저, 정말이야, 아이네?"

시즈카의 고함을 듣고 아이들이 하나둘 모여들었다.

"왜 그래?"

"뭐야? 뭔데?"

"자, 잠깐 이것 좀 봐. 아이네가 쓰고 있던 거야."

모두 아이네의 공책을 들여다보았다.

"뭐? ……유마 물건을 훔친 게 하루토가 아니라 아유미라고?"

"거짓말 마. ……서, 설마 진짜야?"

"아유미가 왜?"

아이들의 눈길이 일제히 아유미에게 쏠렸다. 아유미는 얼굴이 창백해지면서도 한사코 아니라고 우겼다.

"아니야. 무슨 말도 안 되는 소리야? 내가 그런 짓을 왜 해? 난 종이칼 같은 거 갖고 싶지도 않거든."

그때 남자아이 하나가 잽싸게 아유미 책상 안을 들여다보았다.

"여기 있다! 정말로 있어!"

유마의 종이칼이 아유미 책상에서 나왔다.

"약속했잖아! 약속했으면서!"

아이네는 울부짖는 아유미를 조용히 마주 보았다.

"약속했었지. 하지만 하루토가 도둑 누명을 쓰게 생겼

는데 가만있을 순 없잖아. ……난 잘못한 거 없어."

아유미는 끝내 울음을 터뜨렸다.

그러나 아이네는 이제 아유미가 울든 말든 아무래도 상관없었다. 자기 할 일을 다 했다고 생각하자 힘이 쑥 빠졌다.

'아유미랑 다시 친구 사이로 돌아갈 순 없겠지. 그건 괜찮아. 하지만 〈시크릿 알약〉의 경고는 겁나는걸. 언제일까? 언제 내 비밀이 들통날까?'

비밀이 들통나는 순간을 떠올리며 아이네는 몸을 덜덜 떨었다.

그러나 아이네의 비밀이 드러나는 일은 없었다.

아이네가 끝까지 읽지 않아서 미처 몰랐지만 〈시크릿 알약〉 사용 설명서에는 이어지는 글이 더 있었다.

다만, 세상에는 털어놔야 마땅한 비밀도 있는 법. 그런 비밀을 밝힌 상황이라면 알약의 효과를 없애더라도 당신의 비밀은 지킬 수 있다.

🌀 우오즈 아이네 · 12세 · 여자아이 · 1998년 발행 100엔

라푼체엘 프레체엘

"너무하네, 정말. 머리가 이게 뭐야. 어쩌면 좋냐고!"

미용실에서 나와 집으로 돌아가는 길, 고등학교 1학년인 미즈키는 기분이 엉망이었다. 기껏 자른 머리 모양이 마음에 들지 않았기 때문이다.

친구가 추천해서 간 미용실인데 마음에 드는 구석이 하나도 없었다. 미용사가 친절하지도 않은 데다 머리 감겨 주는 솜씨마저 아주 서툴렀다. 그뿐 아니었다. "손님 한테는 이 스타일이 딱이라니까요!"라면서 머리카락을 자꾸만 짧게 잘랐다.

그러다가 결국 미즈키의 머리는 쇼트커트처럼 짧아져 버렸다. 그래도 머리 모양이 잘 어울리면 괜찮은데 얼핏 봐도 실수로 짧게 자른 티가 났다.

'이런 꼴로 내일 학교에 어떻게 가? 아아, 싫어! 절대 못 가! 어쩌다 이 모양이 된 거야!'

화가 나서 눈물이 핑 돌았다. 그때 모르는 아주머니가 말을 걸어왔다.

어쩐지 이상한 아주머니였다. 자주색 기모노 차림에 얼굴은 젊어 보이는데 머리카락은 하얗게 셌다. 말투마저 특이했다. 마치 사극에 나오는 대사를 읊조리듯 아주 예스럽고 공손하게 말했다.

미즈키는 어딘가 의심스럽다는 생각에 정신을 바짝 차리고 "무슨 일이세요?"라고 되물었다.

그랬더니 아주머니가 기다렸다는 듯이 넙죽 말을 쏟아냈다.

"실례지만 한 말씀 여쭙겠사옵니다. 혹시 머리 모양이 안 어울린다고 생각하시지 않사옵니까? 잘못 잘랐다고 후회하고 계시옵지요?"

미즈키는 깜짝 놀라서 자기도 모르게 머리를 손으로 감쌌다.

'아, 어떡해. 모르는 아주머니가 이렇게 말을 걸 정도

로 내 머리가 이상하다는 거잖아? 난 몰라.'

창피해서 그대로 달아나고 싶었다.

그러나 아주머니는 말을 멈추지 않았다.

"지금 머리 모양이라면 이상하다고 생각하시는 것도 이해되옵니다. 머리 모양을 본래대로 돌리고 싶거나 머리카락을 당장 기르고 싶은 마음이 있으시다면 좋은 물건이 있습니다만, 어떻사옵니까?"

그렇게 말하면서 아주머니는 들고 있던 커다란 보따리를 뒤적거려 무언가 찾기 시작했다. 가발이라도 덜컥 내놓을까 봐 걱정했는데 아주머니가 꺼낸 것은 뜻밖에도 봉지에 든 과자였다.

"이것은 저희 가게에서 만든 〈라푼체엘 프레체엘〉이라는 자랑스러운 상품이옵니다."

"상품이요?"

"네에. 〈전천당〉이라는 저희 과자 가게는 시중에서 쉽게 접하기 어려운 아주 쓸모 있는 상품들만 취급하고 있사옵니다."

'이 아주머니, 수상해도 너무 수상하잖아.'

미즈키는 이상한 아주머니가 해로운 물건을 억지로

팔아넘기려는 속셈인가 싶어 더럭 겁이 났다. 그런데도 입에서 저절로 대답이 나왔다.

"그럼 그 〈라푼체엘 프레체엘〉도 쓸모가 있다는 말씀인가요?"

"네에, 네에, 그렇고말고요. 이 과자를 먹으면 털이 쑥쑥 자라게 되옵니다. 게다가 효과가 아주 뛰어나서 손님 정도의 짧은 머리카락도 두 시간이면 30센티미터쯤은 너끈히 자랄 것이옵니다."

"거짓말하지 마세요."

"사실이옵니다. 정 의심스럽다면 과잣값은 받지 않겠사옵니다. 대신 드셔 보시고 만족하신다면 저희 가게를 여기저기 홍보해 주시겠습니까? 〈전천당〉 과자는 대단하다고 말입니다."

그렇게 말하고서 아주머니는 미즈키 손에 과자 봉지를 억지로 쥐여 주다시피 하고 휙 돌아서 가 버렸다.

남겨진 미즈키는 잠깐 고민에 빠졌다.

'어떡하지, 이거? 모르는 사람이 준 거라 좀 꺼림칙한데. 아무래도 먹지 말고 버려야겠지?'

그렇게 생각하면서도 미즈키는 봉지를 빤히 바라보았

다. 노란색 봉지 뒷면에 이런 글이 적혀 있었다.

⟨라푼체엘 프레체엘⟩
머리카락을 빨리 기르고 싶은 당신에게 '라푼체엘 프레체엘'을 권합니다. 특별한 사용법은 없습니다. 그저 먹기만 하면 끝! 이 과자를 먹으면 당신의 바람대로 머리카락이 빨리 자랄 것입니다.

"흥!"
미즈키는 콧방귀를 뀌었다.
'말도 안 돼. 그런 게 어딨어? 요즘은 유치원생도 이런 얼토당토않은 말은 안 믿는다고. 그래도 혹시…… 정말로 머리카락이 자랄 수도 있잖아? 그, 그런 일이 일어날 리 없다는 건 알지만…… 약이나 건강 보조 식품도 아니고 그냥 과자일 뿐인걸. 그러니까 겁낼 것도 없지. 맛만 살짝 볼까?'
이런저런 생각 끝에 미즈키는 아주머니에게 받은 과자를 먹어 보기로 했다.
봉지를 뜯자 조그만 프레첼이 가득 들어 있었다. 가운

데에 매듭을 지은 하트 모양에, 색은 잘 구워진 갈색이다. 하나 먹었더니 짭짤하면서도 고소하다. 게다가 쿠키도 아니고 비스킷도 아닌 것이 오독오독 바삭바삭하게 씹혔다.

"오, 제법 맛있네!"

한 개를 먹고 나니 하나 더 먹고 싶어졌다.

미즈키는 계속해서 프레첼을 입에 넣었다. 정신을 차리고 보니 어느새 봉지가 텅 비어 있었다.

'어찌 됐든 정말로 머리가 자랐으면 좋겠어.'

미즈키는 너무 짧아진 머리를 감추면서 집으로 갔다.

집에 도착해서는 곧장 방으로 쏙 들어갔다. 이런 머리 모양은 가족들에게도 보이고 싶지 않았다. 특히 남동생 사토시의 눈에 띄기라도 하면…… 그땐 정말 감당이 안 될 것이다. 한창 놀리고 장난치기 좋아하는 짓궂은 4학년 초등학생. 낄낄거리며 두고두고 놀릴 게 뻔했다.

"하아, 정말 너무해. 4센티미터, 아니 3센티미터만이라도 좋으니까 빨리 자라라. ……가발을 써야 하나?"

거울 앞에서 한숨을 쉬고 있는데 갑자기 졸음이 쏟아졌다.

'도저히 못 참겠네. 눈을 뜨고 있을 수가 없어.'

몸이 이상하다고 생각하면서 미즈키는 침대에 풀썩 쓰러져서 그대로 잠들어 버렸다.

그리고 얼마 뒤.

"으아아악!"

미즈키는 갑작스러운 비명 소리에 놀라서 눈을 번쩍 떴다.

동생 사토시가 방 안에 서 있는 게 보였다. 자기 쪽을 보고 소리를 지르고 있다. 그런데 귓속이 북실북실해서 소리가 잘 들리지 않았다. 숨도 쉬기 힘들었다.

'왜 이러지? 마스크라도 쓴 것 같아.'

잠투정은 아니지만 미즈키는 기분이 언짢아서 팩 짜증을 냈다.

"뭐야, 왜 그러는데? 사토시, 시끄럽다고! 그리고 내 방에 맘대로 들어오지 말랬지!"

"우아아아앗! 우아아아앗!"

"야! 좀! 시끄럽다니까!"

"괴, 괴물이다!"

"괴물? 너 누나한테 무슨 말버릇이야!"

미즈키가 화를 내든 말든 동생은 계속 소리를 질러 댔다. 얼굴은 파리하게 질려 있고, 눈에는 그야말로 공포가 서려 있었다.

'얘 진짜로 겁먹었네. 아니, 근데 뭘 보고 저렇게 겁에 질렸지?'

동생이 정말로 겁에 질려 떨고 있다는 걸 깨달았을 때다. 미즈키는 얼굴 주위로 검은 무언가가 스르륵 움직이는 것을 느꼈다.

머리카락. 손가락 끝으로 겨우 잡을 수 있을 만큼 짧았던 머리카락이 어깨에서 치렁거리고 있었다.

"말도 안 돼! 정말로 자랐어!"

미즈키는 동생이 겁에 질려 있다는 사실을 까맣게 잊은 채 침대에서 튕기듯 일어나 거울 앞으로 뛰어갔다. 놀라움 반, 기쁨 반으로 가슴이 쿵쾅거렸다.

그러나 거울에 비친 자신의 모습에 비명을 지르며 나자빠지고 말았다.

틀림없이 머리카락은 자라 있었다. 그새 30센티미터는 족히 길었다. 그런데 그게 다가 아니었다. 귓구멍과 콧구멍에도 새까맣고 뻣뻣한 털이 삐죽삐죽 자라 있는 게 아닌가. 얼굴은 솜털로 뒤덮여 텁수룩하고, 팔과 다리에도 기다란 털이 구불구불 말려 있었다.

어디 한 군데가 아니라 온몸에 징그럽게 털이 잔뜩 나서 도저히 자기 모습이라고는 믿기 어려웠다.

그제야 미즈키는 깨달았다. 동생을 무서움에 벌벌 떨게 한 상대는 다름 아닌 바로 자기였다는 것을.

미즈키는 넋이 나간 채 동생을 돌아보았다. 누구든 자기를 도와주기를 바랐다.

"괜찮아. 별일 아니야."라는 말을 듣고 싶다는 마음 하나로 동생에게 매달렸다.

"사토시!"

"으아아아아악!"

"사토시! 누, 누나야! 누나라고!"

"으아악! 이거 놔, 제발! 제발 놔주세요!"

동생이 발버둥을 치면 칠수록 무슨 수든 써야 할 것 같았다. 동생을 잡은 미즈키의 손에 힘이 들어갔다. 머릿속이 하얘졌다.

그때 엄마가 방문을 열고 꽥 소리를 질렀다.

"왜 이리 시끄러워? 또 싸우는 거야? 그만 좀 해라! 동네 사람들 다 듣겠어!"

그러고서 엄마는 미즈키를 보고 얼굴이 굳어졌다.

"허억!"

"어, 엄마!"

동생이 미즈키를 밀치고 달려가 엄마에게 안겼다.

"괴물이야, 엄마! 괴, 괴물이 누나를 잡아먹었나 봐! 얼른 경찰에 신고해!"

"아냐, 아냐! 어, 엄마, 나야! 미즈키라고요!"

"미, 미즈키?"

"네, 진짜예요! 아아, 엄마, 미안해! 미안해요!"

영문도 모른 채 그저 울면서 사과하는 미즈키.

그 모습을 보고 처음에는 두려운 얼굴로 서 있던 엄마도 겨우 딸을 알아본 모양이다. 미즈키 옆으로 살짝 다가가서 팔을 벌려 딸을 안았다.

뒤에 있던 사토시가 깜짝 놀라며 소리를 질러 댔다.

"어, 엄마! 어쩌자고 괴물을 만져! 위험해!"

"사토시, 괜찮아. 진짜 누나 맞아. 얘는 미즈키야. 그렇지, 미즈키?"

"응, 응. 미즈키 맞아요. 왜 이렇게 변했는지 모르겠지만 정말 나야······.”

　순간 어떤 생각이 반짝 미즈키의 머리를 스쳤다.

　“맞아. 그 과자야! 〈라푼체엘 프레체엘〉 때문이야. 틀림없어!”

　“〈라푼체엘 프레체엘〉? 그게 뭔데?”

　“과, 과자. 어떤 이상한 아주머니가 줬어. 미용실에서 머리를 너무 짧게 잘라서 속상해하고 있었는데 말을 걸어서······.”

　미즈키는 모든 일을 털어놓았다.

　엄마 표정이 무섭게 일그러졌다.

　“미즈키! 고등학생이나 돼서 모르는 사람이 주는 걸 넙죽 받아? 게다가 그걸 또 먹기까지 했다고?”

　“그게 아니라, 미용실에서 머리를 망쳐 놔서 뭐든 믿고 싶은 마음이었어. ······잘못했어요. 내가 어리석었어. 처음 보는 이상한 아주머니 말이나 믿으려 하고, 누가 봐도 수상한 사람이었는데.”

　“어떻게 수상했는데?”

　“으음, 그러니까····· 얼굴은 젊어 보이는데 머리는 새하얬어요. 기모노를 입었고····· 아, 맞다! 말투도 특이했어. 말끝마다 '옵니다.'라고 했거든요."

"뭐?"

미즈키의 말을 듣고 엄마 얼굴이 순식간에 굳었다.

"혹시 그 사람……, 과자 가게를 한다고 그러지 않던?"

"그러고 보니까 그랬어요. 어, 뭐라더라? '전' 뭐랬는
데……."

"〈전천당〉?"

"맞아요! 〈전천당〉이라는 가게를 운영하고 있다면서
〈라푼체엘 프레체엘〉을 먹고 만족하면 자기 가게를 많이
알려 달라고 부탁했어."

"그 주인 여자가 그런 부탁을 할 거라고는 상상도 안
되는데……."

넋이 나간 듯 중얼거리는 엄마를 보고 이번에는 미즈
키가 놀라서 물었다.

"엄마, 그 아주머니를 알아요?"

"흐음, 안다고 해야 하나? 아무튼 예전에 한 번 만난
적이 있어."

엄마는 아까보다 진지한 표정으로 미즈키를 물끄러미
바라보았다.

"네가 이렇게 된 게 〈전천당〉 과자 때문이라면 심각해. 거기서 파는 과자들에는 정말로 마법 같은 힘이 깃들어 있거든."

"엄마……."

"어, 어쨌든 털을 좀 잘라 보자. 짧게 다듬으면 괜찮아질지도 모르잖아."

엄마는 그렇게 말하고서 미즈키를 욕실로 데리고 갔다. 그리고 털이 북슬북슬한 팔에 비누 거품을 묻히고 면도칼로 살살 밀었다.

털이 쓱 밀리면서 뽀얀 피부가 드러났다. 면도가 효과가 있을 것 같다고 생각하며 미즈키는 한시름 놓았다.

그러나…….

엄마가 작은 가위로 미즈키의 귓속 털을 잘랐을 때다. 지켜보고 있던 동생이 흠칫하며 소리쳤다.

"어, 엄마! 팔! 팔에 털이 다시 자라고 있어!"

방금 전만 해도 말끔했던 미즈키의 팔에 다시 털이 조금씩 자라고 있었다.

눈 깜짝할 사이에 새카맣고 뻣뻣한 털이 미즈키의 팔을 뒤덮어 버렸다.

미즈키는 엉엉 울음을 터뜨렸다.

'소용없나 봐. 잘라도 밀어도 금방 다시 자라잖아. 어
떡하지? 이런 모습으로 평생 살고 싶진 않아!'

엄마도 마음이 초조하고 불안한지 어쩔 줄 몰라 했다.
그러다가 갑자기 눈을 반짝거리며 소리쳤다.

"아! 맞아, 생각났어! 미즈키, 자, 잠깐만 기다려!"

엄마는 허둥지둥 욕실 밖으로 뛰쳐나갔다.

사토시는 여전히 겁먹은 표정이었지만 그래도 미즈키
에게 말을 걸었다.

"저, 정말로 우리 누나 맞아?"

"그래. ……지금 나 어때 보여?"

"……털북숭이 고릴라 괴물 같아."

"너, 진짜!"

"하지만 그렇게 보이는 걸 어떡해? 본래 모습으로 돌
아오긴 하는 거지? 나, 누나가 그렇게 생긴 거 싫어."

울먹이면서 말하는 동생 사토시를 보자 미즈키도 눈
물이 쏟아질 것만 같았다. 그리고 자신의 어리석은 행동
을 다시금 반성했다.

'본래대로 돌아갈 수만 있다면 이제 머리가 짧다고 불

평하지 않을게요. 그러니까 하느님, 부처님, 제발 본래 모습으로 되돌려 주세요. 저 좀 도와주세요.'

마음속으로 간절히 기도하고 있는데 엄마가 돌아왔다. 손에는 김이 오르는 찻잔을 들고 있었다.

"미즈키, 이것 좀 마셔 봐."

"그게 뭔데요?"

"묻지 말고 엄마 말대로 해. 엄마 생각엔 효과가 있을 것 같으니까. 하지만 딱 세 모금만이야. 그 이상 마시면 안 돼."

찻잔을 받아 든 미즈키는 고개를 갸웃거렸다. 아무래도 잎을 우린 따뜻한 차 같았다. 은은한 녹차 향기가 감도는데 얼핏 상큼한 과일 향도 풍겼다.

미즈키는 별안간 그 차를 마시고 싶어서 견딜 수가 없었다. 아주 향기롭게 느껴지고 맛있을 것 같았다.

찻잔을 입으로 가져가 한 모금 마셔 보았다. 따뜻한 차는 뒷맛이 깔끔하면서 살짝 단맛이 났다. 그리고 맛이 아주 깊었다.

미즈키는 너무 맛있어서 다시 두 모금을 홀짝홀짝 마셨다.

한 모금 더 마시려는 찰나 엄마가 찻잔을 빼앗았다.

"이제 그만. 그거면 충분해."

"충분하다니 뭐가?"

더 마시고 싶었던 미즈키는 찻잔을 잡으려고 무의식적으로 손을 뻗었다. 그때 팔에서 부스스 소리가 나더니 털이 우수수 빠져 바닥으로 떨어졌다.

깜짝 놀라서 한 발 뒤로 물러선 순간, 다리에서도 털이 빠지기 시작했다. 귀에서도 코에서도 털이 우수수 떨어져 내렸다.

"어어?"

너무 놀라 잠시 얼떨떨해하는 사이에 미즈키는 본래 모습으로 돌아와 있었다.

"우아! 우아!"

그 모습을 본 동생 사토시는 흥분에 가득 찬 소리만 연발했다.

"마법이야! 이거 마법이지, 엄마?"

"으음, 비슷하지. 휴, 아직 효과가 있어서 다행이야!"

비로소 마음이 놓인다는 듯이 말하는 엄마를 미즈키는 빤히 바라보았다.

'대체 어떻게 된 일이지? 아니, 왠지 알 것 같아. 엄마가 준 차 덕분에 예전 모습으로 돌아온 거야.'

"엄마, 내가 마신 차…… 뭐예요?"

"〈반들반들 차〉야. 예전에 엄마가 〈전천당〉에서 샀던 차인데, 찻잎이 남아 있었어. 까맣게 잊고 있었는데 널 보니 갑자기 생각났지 뭐야. 효과가 있어서 다행이야."

"엄마도 〈전천당〉에서 샀다고?"

"응."

엄마는 조금 부끄러워하며 고개를 끄덕였다.

"너만 한 나이 때 털이 많아서 엄청 고민했거든. 친구들은 팔다리가 반드르르한데 엄마는 팔이며 다리에 털이 텁수룩해서 창피했어. 그러던 어느 날 우연히 〈전천당〉에 가게 됐고, 이 〈반들반들 차〉를 추천받았어. 주인아주머니가 일러 준 대로 마셨더니 효과가 아주 좋았어."

"그, 그러고 보니까 엄마는 털이 없고 반들반들하네."

"그래. 이 〈반들반들 차〉 덕분이야."

'엄마도 나랑 비슷한 경험을 했구나.'

미즈키는 마음이 한결 편해졌다.

그러나 그런 미즈키의 마음을 읽기라도 했는지 엄마

얼굴이 한순간 엄격해졌다.

"하지만 엄마는 미즈키 너처럼 이상한 말에 바로 휩쓸리진 않았어. 주의 깊게 살피고 설명서를 찬찬히 다 읽고 나서야 차를 마셨으니까."

으스대듯이 말하는 엄마를 보고 동생이 고개를 갸웃거렸다.

"엄마, 설명서를 잘 읽고 차를 마시는 게 그렇게 훌륭한 일이에요?"

"훌륭하다기보다는 중요한 일이지. 왜냐면 찻잎이 든 상자에 이렇게 적혀 있었거든. '〈반들반들 차〉는 세 모금이면 충분합니다. 그 이상 마시면 머리털까지 빠져서 머리가 반들반들해집니다.'라고."

"헉!"

미즈키는 자기도 모르게 머리를 더듬어 보았다.

다행히 머리카락은 잘 붙어 있었다. 게다가 길이도 본래 그대로다. 〈반들반들 차〉는 머리카락은 틀림없이 남겨 두었다.

이번 일로 미즈키는 엄마에게 아주 감사하면서 한편으로 깊이 반성했다.

미즈키는 이제 두 번 다시 모르는 사람이 주는 음식은 받지도, 먹거나 마시지도 않을 것이다.

'그래, 친구들한테도 알려 줘야지. 이상한 아주머니가 동네를 어슬렁거리고 있으니 조심하라고!'

● 쓰네모리 미즈키 · 17세 · 여학생 · 길에서 만난 아주머니에게 〈라푼체엘 프레체엘〉을 받았다.

사인 코인

누군가 자기 물건을 훔쳐 가는 것은 아주 기분 나쁜 일이다. 하물며 애지중지하는 물건이라면 두말할 나위가 없다.

　열한 살 데쓰가 잃어버린 물건은 스케이트보드였다. 외국 제품인데 파란색 바탕에 아주 근사한 늑대 그림이 그려져 있다. 미국에 사는 삼촌이 생일 선물로 보내 준 것이다.

　우리 나라에서는 팔지 않는 상품이라는 삼촌의 편지를 보고 데쓰는 기분이 더 좋았다.

　'어쩌면 내가 가진 이 스케이트보드가 우리 나라에 딱 하나뿐일지도 모르겠네.'

귀한 물건을 자기만 갖고 있다고 생각하니 어깨가 절로 으쓱했다.

당장 스케이트보드를 챙겨 공원에서 타 보기로 했다. 그런데 공원에 도착하자마자 갑자기 배가 살살 아팠다.

데쓰는 서둘러 화장실로 뛰어갔다. 스케이트보드는 근처 나무 뒤에 잘 놔두었다. 실수로라도 화장실 바닥에 떨어뜨리고 싶지 않았다.

조금 뒤 데쓰는 아픈 배를 가라앉히고 안도의 숨을 쉬면서 화장실을 나왔다. 그런데 소중한 스케이트보드가 감쪽같이 사라지고 없었다.

"마, 말도 안 돼……."

데쓰는 온몸의 피가 차갑게 식는 기분이었다.

곧바로 공원 구석구석을 돌아다니며 찾았지만, 스케이트보드는 어디에도 없었다. 누군가 훔쳐 간 게 틀림없었다.

데쓰는 누군지도 모르는 그 사람이 미워서 견딜 수가 없었다. 다른 사람 물건을 함부로 가져가다니 도저히 이해가 되지 않았다.

'용서 못 해. 잡히기만 해 봐. 내가 속상했던 것만큼

고대로 갚아 줄 테니.'

화가 치밀었지만 한편으로는 기분이 우울했다. 얼마나 후회했는지 모른다.

'이럴 줄 알았으면 화장실에 스케이트보드를 가지고 들어갈걸.'

그런데 며칠 뒤 학교 수업을 마치고 집에 가던 데쓰는 믿을 수 없는 광경을 보았다. 같은 반 준스케가 길 한가운데서 스케이트보드를 타고 있었다. 얼핏 봐도 데쓰의 스케이트보드였다. 틀림없었다.

데쓰는 매우 흥분해서 정신 나간 사람처럼 준스케에게 뛰어갔다.

"그거! 그 스케이트보드······."

너무 화나고 흥분한 나머지 말문이 턱 막혔다. 그런 데쓰를 보고 준스케는 조금 놀란 표정을 지었지만 금세 자랑을 늘어놨다.

"아, 이거? 선물 받았어. 할아버지가 주신 선물인데, 멋있지?"

데쓰는 천연덕스럽게 둘러대는 준스케에게 화가 치밀었다.

62

"그럴 리가 없어! 너희 할아버지가 미국에 사서? 그, 그 스케이트보드는 내 거야! 미국에서 삼촌이 보내 주신 거라고! 요전에 네가 공원에서 훔쳤지?"

순간 준스케는 얼굴에 겸연쩍은 기색을 보였지만, 이내 얼굴을 붉히면서 맞받아 소리를 질렀다.

"증거 있어? 네 이름이라도 써 놨냐고?"

"그건……."

"거봐! 대답 못 하네. 여기 어디에 네 이름이 있냐? 까불지 마! 남의 물건 탐내는 너야말로 도둑이지, 누구더러 도둑이래? 한 번만 더 이상한 소리 하기만 해. 그땐 이렇게 안 넘어 갈 테니까!"

준스케가 길길이 뛰며 퍼부어 대자 데쓰는 당황한 나머지 도망치듯 그 자리를 벗어나고 말았다. 하지만 시간이 지날수록 억울해서 견딜 수 없었다.

'어휴, 거기서 왜 도망을 치냐고! 그럼 내가 잘못한 것처럼 보일 거 아냐. 나쁜 건 준스케잖아. 그 스케이트보드는 틀림없이 내 거고, 걔가 훔친 거라고. 용서 못 해. 으아악, 그나저나 어떻게 되찾지? 이름을 써 둔 것도 아닌데, 내 스케이트보드라는 걸 증명할 방법이 있을까?'

데쓰는 너무 억울하고 스케이트보드를 되찾고 싶어서 바짝바짝 애가 탔다.

그때다.

"거기 꼬마 도련님, 잠시만요."

누군가 나긋나긋한 목소리로 말을 걸어와서 데쓰는 고개를 들었다.

바로 앞 나무 아래에 한 아주머니가 보였다. 작은 접이식 의자에 앉아 있는데 옆에는 커다란 여행용 가방이 놓여 있고 무릎 위에는 검은 고양이가 엎드려 있었다. 잠깐 쉬고 있는 것처럼 느긋한 분위기다.

데쓰는 그 아주머니한테서 눈을 뗄 수가 없었다.

왜냐면 일단 아주머니가 엄청나게 컸다. 게다가 머리카락이 새하얘서 할머니인 줄 알았는데 얼굴은 젊고 생기발랄했다. 머리 장식을 여러 개 꽂고 자주색 기모노를 입고 있는 모습이 또 아주 힘이 넘쳤다. 어떻게 봐도 보통 사람은 아니었다. 마치 이야기 속에서 금방 튀어나온 것처럼 신비로운 분위기를 자아낸다.

데쓰는 자기도 모르게 아주머니에게 다가갔다.

아주머니는 빙그레 웃었다.

"안녕하십니까? 아무래도 무언가 힘든 일이 있으신 것 같사옵니다. 괜찮으시면 이야기를 들려주십시오. 제가 힘이 되어 드릴지도 모르옵니다."

달콤한 목소리에 이끌려서 데쓰는 고민을 단숨에 털어놓았다.

"어쨌든 그 스케이트보드는 틀림없이 제 거예요! 걔가 할아버지한테 선물 받았다는 건 거짓말이라니까요! 하지만 증거가 없어서……."

"허, 그러시군요. 그것참, 속상하고 억울한 일이옵니다. ……스케이트보드를 되찾고 싶으십니까?"

"그, 그럼요. 당연하죠!"

"그렇다면 안성맞춤인 과자가 있사옵니다. 그 과자를 드시면 반드시 바라는 것을 이루실 수 있사옵니다."

"과자요?"

"네, 그렇사옵니다. 저는 과자 가게 〈전천당〉의 주인 베니코이옵니다."

〈전천당〉이라는 이름을 듣고 데쓰는 화들짝 놀랐다.

그러고 보니 얼마 전 희한한 얘기가 돌았다. 옆 동네에 사는 고등학생 누나가 갑자기 머리카락이 마구 자랐

단다. 〈전천당〉이라는 과자 가게에서 파는 과자를 먹고 그렇게 된 것 같다는 소문이 파다했다. 데쓰가 다니는 초등학교의 교장 선생님도 조회 시간에 학생들에게 신신당부했다. 최근에 〈전천당〉이라는 과자 가게 주인이 주변을 돌아다니며 아이들에게 이상한 물건을 억지로 팔고 있으니 그 가게 과자나 장난감은 절대로 사지 말라고 말이다.

데쓰는 자기가 그 이상한 과자 가게 주인을 우연히 만나게 되리라고는 꿈에도 몰랐다.

'뒤도 안 돌아보고 달아나는 게 좋겠지? 어른들에게 이 사실을 알리고 도와 달라고 하자.'

그러나 데쓰가 미처 몸을 돌리기도 전에 아주머니가 옆에 있던 여행용 가방을 열었다.

철컥. 마치 보물 상자처럼 여행용 가방이 열리더니 그 안에서 빛을 뿜어내는 듯한 갖가지 과자들이 모습을 드러냈다. 그런 멋진 광경을 난생처음 본 데쓰는 눈도 마음도 홀려서 그 자리에서 꼼짝할 수 없었다.

'이야, 끝내준다! 저 신기하고 멋진 과자들 좀 봐. 하나같이 특별한 느낌이 들어.'

아주머니는 여행용 가방에서 무언가를 꺼내더니 숨을 참고 있는 데쓰에게 내밀었다.

"자, 이 〈사인 코인〉은 어떻사옵니까?"

500엔짜리 동전보다 조금 큰 은색 동전이었다. 은박 껍질에 손 모양 두 개가 볼록 드러나 있었는데, 깃털 펜을 잡은 오른손으로 왼손에 쥔 커다란 보석에 뭔가 쓰려고 하는 것처럼 보였다.

"동전 모양을 한 초콜릿이옵니다. 이것을 먹으면 자기 물건에 이름이 나타나게 만들 수 있사옵니다. 다만, 반드시 자기 물건이어야 합니다. 다른 사람의 물건에는 아무런 효과가 없다는 걸 기억해 두시기 바라옵니다."

"그렇다면……."

"만약 그 스케이트보드가 정말로 손님의 것이라면 〈사인 코인〉의 힘으로 반드시 되찾으실 수 있사옵니다."

아주머니가 자신만만하게 고개를 끄덕였다. 그 모습을 보자 데쓰는 〈사인 코인〉을 갖고 싶은 마음이 굴뚝같아졌다. 〈전천당〉 물건은 절대로 사면 안 된다고 단단히 주의를 줬던 어른들 말은 어느새 머릿속에서 싹 지워지고 없었다.

'〈사인 코인〉은 내 거야!'

데쓰가 홀린 듯이 손을 뻗자 아주머니는 〈사인 코인〉을 슬쩍 뒤로 물리며 말했다.

"이런, 이런. 먼저 값부터 치러 주시겠습니까? 가격은 50엔이옵니다. 단, 1999년에 나온 50엔 동전만 받겠사옵니다."

데쓰는 얼른 지갑을 꺼내서 50엔짜리 동전을 찾았다. 딱 한 개 있었다. 마침 1999년도 동전이다.

왠지 운명 같다고 생각하면서 데쓰는 50엔 동전을 아주머니한테 내밀었다. 아주머니는 동전을 받아 들고 기쁘게 웃었다.

"네, 네. 오늘의 행운 동전, 1999년에 발행된 50엔이옵니다. 그럼 〈사인 코인〉을 받으십시오."

데쓰는 떨리는 손으로 〈사인 코인〉을 받았다. 초콜릿이라고는 생각할 수 없을 정도로 묵직했다. 마치 진짜 은으로 만든 동전 같았다.

뒤집어 봤더니 동그란 하얀색 스티커가 붙어 있고, 거기에 가느다란 글씨로 이런 글이 적혀 있었다.

〈사인 코인〉

'사인 코인'은 자기 물건이라는 사실을 증명하는 과자이다.
간절하게 소망하면 자기 소유물에 본인 이름이 나타난다.
다만, 어디까지나 자기 물건일 때만 효과가 있고, 다른 사
람의 물건이라면 증명할 수 없다. 그러므로 다른 사람 물
건은 탐내지 말 것!

'아주머니가 했던 말과 똑같네. 나, 아주 대단한 물건
을 산 것 같아!'

데쓰가 감동하고 있는 사이 이상한 아주머니와 검은
고양이, 그리고 여행용 가방은 사라지고 없었다. 그러
나 그런 건 아무래도 좋았다. 데쓰는 지금 당장 〈사인 코
인〉을 먹고 싶다는 생각뿐이었다.

데쓰는 〈사인 코인〉의 은박 껍질을 홱 벗겨 초콜릿을
꺼냈다. 그러고는 그대로 한입에 밀어 넣었다.

"우아, 달다!"

초콜릿은 정신이 아득해질 정도로 달콤하면서도 혀
에서 사르르 녹았다. 꿀꺽 삼켰더니 달콤한 코코아를 한
잔 가득 마신 것 같은 만족감이 온몸으로 퍼져 나갔다.

"흐읍."

데쓰는 자기도 모르게 숨을 들이마셨다.

'어? 느낌이 달라! 기분이 아주 차분해졌어. 이 상태라면 무슨 일이든 당당하게 맞설 수 있겠는데? 그래, 다시 준스케를 찾아가서 스케이트보드를 되찾는 거야.'

데쓰는 성큼성큼 걸어서 왔던 길을 되돌아갔다.

준스케는 아직 그 자리에 있었다. 하지만 혼자가 아니었다. 친구들 몇 명에게 둘러싸여서 뭐라고 신나게 떠들고 있었다. 아무래도 스케이트보드를 자랑하고 있는 것 같았다.

다가오는 데쓰를 알아본 준스케는 스케이트보드를 지키려는 듯 안아 들더니 눈을 사납게 치켜뜨며 소리를 버럭 질렀다.

"또 뭐야? 이거 내 거라고 말했지! 애들아, 내 얘기 좀 들어 봐. 얘가 내 스케이트보드를 자꾸 자기 거라고 우겨! 너무 뻔뻔하지 않냐? 우리 할아버지가 주신 선물이라는데도 막무가내야."

거짓말이다. 틀림없이 거짓말이다.

데쓰는 스케이트보드를 뚫어져라 쳐다보면서 마음속

으로 간절히 기도했다.

'〈사인 코인〉, 이 물건이 내 거라는 걸 증명해 줘!'

아이들은 난처한 듯이 데쓰와 준스케를 번갈아 보았다. 그때 친구 한 명이 조그맣게 소리를 질렀다.

"어, 준스케! 그거…… 진짜로 데쓰 거 아냐?"

"뭐어? 무슨 소리야? 아니라니까! 내 거라고!"

"그렇지만…… 봐, 거기 이름이 쓰여 있잖아."

그 아이가 손가락으로 가리키자 준스케는 당황한 얼굴로 스케이트보드를 들여다보았다. 데쓰 눈에도 똑똑히 보였다. 보드 뒤쪽에 뚜렷하게 적힌 '오히라 데쓰'라는 은색 글자가.

데쓰도 놀랐지만 준스케는 훨씬 더 놀란 것 같았다. 준스케는 하얗게 질려서 중얼거렸다.

"이, 이상하다? 내가 주웠을 때는 이런 글자가 없었는데……. 앗!"

준스케가 흠칫하며 입을 틀어막았지만 이미 늦었다.

이때다 싶어 데쓰는 냅다 소리를 질렀다.

"거봐, 준스케. 네가 남의 물건을 멋대로 가져간 거잖아! 그랬으면서 거짓말하고, 그것도 모자라 나를 도둑으로 몰아세워? 창피하지도 않냐?"

"……."

"이제 그만 돌려줘! 이 도둑아!"

분하다는 듯이 고개를 숙이고 선 준스케에게 다른 아이들도 한마디씩 했다.

"야, 준스케. 그거 데쓰한테 돌려줘."

"그래, 훔치는 건 나쁜 짓이야."

"너 좀 비겁하다."

준스케는 이제 아무도 자기 편을 들어 주지 않으리라는 걸 알아챘는지 갑자기 스케이트보드를 땅바닥에 내동댕이치고는 데쓰를 노려보았다.

"똑똑히 말해 두는데 훔친 건 아니야. 공원에 떨어져 있길래 주워서 갖고 있었을 뿐이거든. 돌려줬으니까 이제 됐지?"

그렇게 말하고서 준스케는 토라진 듯이 가 버렸다.

데쓰는 스케이트보드를 집어 들었다.

드디어 데쓰의 품에 돌아왔다. 우리 나라에 하나밖에 없는 소중한 스케이트보드. 정말 다행이다. 이게 다 〈사인 코인〉 덕분이다.

기쁨도 잠시, 데쓰는 준스케에게 화가 났다.

결국 준스케는 자기가 훔쳤다는 것을 인정하지 않았다. 미안하다는 사과조차 하지 않았다.

'그게 어디 미안한 사람 태도야? 다시는 남의 물건을 탐내지 못하도록 따끔하게 혼내 줄 테야!'

그러나 데쓰가 나서서 무언가를 할 필요는 없었다. 그 자리에 있던 아이들이 준스케가 한 나쁜 짓에 대신 화를 내 주었다.

다음 날, 반 전체에 그 사실이 알려졌다. 아이들은 수군거리며 준스케와 거리를 두었고, 한동안 아무도 준스케에게 말을 걸지 않았다.

거기에 앙심을 품었는지 준스케는 시도 때도 없이 데쓰에게 시비를 걸었다. 일부러 와서 부딪치기도 하고, 슬그머니 발을 걸기도 했다.

그때부터 데쓰의 물건이 하나둘 사라지기 시작했다.

지우개, 공책, 신발······.

감쪽같이 사라졌던 물건은 학교 화단이나 쓰레기통에서 발견되었다.

데쓰는 틀림없이 준스케가 한 짓이라고 생각했지만

당황하거나 서두르지 않았다. 그저 태연하게 기회를 기다렸다. 왜냐면 데쓰에게는 〈사인 코인〉의 힘이 깃들어 있으니까.

며칠이 지나고 마침내 데쓰는 행동을 시작했다. 친구들 앞에서 보란 듯이 지갑을 내보이며 떠들어 댔다.

"오늘 학교 끝나고 서점에 들르려고. 그래서 용돈도 가지고 왔지."

그렇게 말하면서 데쓰는 준스케를 힐끔 쳐다봤다. 준스케는 데쓰의 지갑을 물끄러미 바라보고 있었다.

'됐어!'

데쓰는 지갑을 가방 안에 넣었다.

점심시간이 끝나고 데쓰가 운동장에서 교실로 돌아왔다. 지갑을 확인해 봤더니 역시나 1000엔 지폐가 사라지고 없었다.

"제 돈이 없어졌어요!"

데쓰는 선생님에게 큰 소리로 말했다.

돈이 없어졌다고 하니 선생님도 가만히 넘어갈 수는 없었다. 선생님은 반 아이들을 모아 놓고 한 명도 빠짐없이 가방과 책상 안을 보여 달라고 말했다.

"음, 데쓰 말로는 그 1000엔 지폐는 처음으로 받은 용돈이라서 기념으로 간직해 둔 것이라고 한다. 데쓰가 은색 펜으로 이름을 써 두었다니까 확인해 보면 바로 알수 있어. 그러니까 미안하지만 다들 소지품을 잘 보이게 꺼내 놓기 바란다."

준스케의 얼굴이 파리해지는 것을 보고 데쓰는 속으로 쾌재를 불렀다.

돈은 지우개나 공책과는 달라서 훔친 사람도 버리지 않고 가지고 있을 것이다. 준스케는 1000엔을 어딘가에 감추어 두었을 게 틀림없다. 예상이 빗나가지 않았으리라 생각하며 데쓰는 속으로 씩 웃었다.

그리고 마음속으로 간절하게 기도했다.

'〈사인 코인〉, 1000엔짜리 지폐가 내 거라는 걸 증명해 줘!'

1000엔짜리 지폐는 정말로 준스케의 가방에서 발견되었다. '오히라 데쓰'라는 은색 글자가 반짝반짝 빛나고 있었다.

"준스케!"

선생님이 엄한 목소리로 이름을 부르자 준스케는 울

음을 터뜨렸다. 그길로 선생님은 준스케를 데리고 교무실로 갔다.

그날 이후 교실에서 준스케를 다시 보는 일은 없었다. 반 아이들 앞에서 돈을 훔친 사실이 밝혀지자 더 이상 학교에 올 수 없었던 모양이다.

"준스케 말이야. 곧 전학 가지 않을까?"

"하긴, 나 같아도 학교에 못 왔을 거야. 그런 짓을 해 놓고 어떻게 고개를 들고 다니냐?"

반 아이들이 쑥덕거렸다.

툭하면 자기를 괴롭히고 물건에 손대던 준스케를 떼어 냈다는 생각에 데쓰는 아주 만족했다.

'준스케가 없으니 더는 괴롭힘을 당하지 않겠네. 이제야 겨우 평범하게 학교생활을 할 수 있겠다.'

그렇게 안심하고 있었는데…….

어느 날 친구 유키야가 유리같이 맑고 투명한 광석을 학교에 가지고 왔다. 주먹만 한 크기인데 보석처럼 맑은 결정 여러 개가 송이송이 매달려서 마치 국화꽃 같았다. 유키야가 주말에 가족들과 산에 갔다가 우연히 발견했다고 한다.

"내 생각엔 이거 수정 같아. 선생님한테 돌을 보여 드리고, 뭔지 알려 달라고 해야지."

홍분해서 떠드는 유키야 앞에서 데쓰는 물끄러미 광석을 바라보았다. 데쓰는 그걸 처음 본 순간부터 보석처럼 빛나는 반짝임에 온 마음을 빼앗기고 말았다.

'예쁘다. 더 자세히 보고 싶어.'

데쓰는 그런 마음을 도저히 억누를 수 없었다. 마침내 교실에 아무도 없는 점심시간을 틈타 유키야의 사물함을 열고 광석을 꺼냈다.

광석은 보면 볼수록 아름다웠다. 빛을 모아서 반짝거리는 모습도, 선뜩하게 손에 감기는 느낌도 마음에 쏙 들었다.

'이렇게 멋진 걸 발견하다니 유키야는 정말 운이 좋은가 봐.'

데쓰는 부러워하면서도 광석을 사물함에 도로 넣어 놓으려고 했다.

그러다 문득 이런 생각이 스쳤다.

'지금 교실에 아무도 없어. 아무도 못 봤어.'

그 순간 데쓰는 광석이 너무너무 갖고 싶어졌다. 마치

귀신에 홀린 것만 같았다.

'소중하게 여기는 물건을 도둑맞으면 어떤 마음이 드는지 누구보다 잘 알면서, 게다가 유키야는 내 친구인데……'

데쓰는 유키야의 광석을 가지고 도서실로 달려갔다. 자기가 훔친 사실을 들키지 않도록 책장 맨 위 칸에 꽂힌 책들 뒤쪽에 광석을 숨겼다.

'여기 숨겨 놓으면 아무도 모르겠지? 학교 끝나고 가지러 오자.'

그때 점심시간이 끝나는 종이 울렸다. 데쓰는 아무 일도 없었다는 듯이 교실로 돌아갔다.

친구의 물건을 훔치는 나쁜 짓을 했다.

'알아, 나도 안다고. 하지만 어쩔 수 없었어. 따지고 보면 그렇게 멋진 물건을 학교에 가져온 유키야 잘못이지. 그런 걸 보고 탐내지 않을 사람이 어디 있어? 난 나쁘지 않아. 나쁘지 않다고.'

"도둑."

선생님 목소리에 데쓰는 움찔하며 슬며시 고개를 들었다. 선생님은 분명히 데쓰를 보고 있었다.

"도둑."

데쓰의 얼굴을 똑바로 보면서 선생님은 한 번 더 그렇게 불렀다.

데쓰는 얼굴이 하얗게 질렸다.

'들켰구나! 어떻게 아셨지?'

두렵고 초조한 나머지 눈앞이 캄캄해졌다.

이를 딱딱 떨기 시작하는 데쓰를 보고 선생님은 이상하다는 듯이 고개를 갸웃거렸다.

"어디 아프니? 선생님이 부르는데 표정이 왜 그래?"

"네? 그게······."

"뭐, 괜찮아. 9번 답이 뭔지 말해 봐, 도둑."

또! 선생님은 데쓰를 또 '도둑'이라고 불렀다.

가슴을 쿡 찌르는 호칭에 데쓰는 벌벌 떨면서 간신히 입을 열어 되물었다.

"서, 선생님, 왜······ 저, 저를 도, 도, 도둑이라고 부르세요?"

"뭐?"

선생님은 눈을 동그랗게 떴다.

"왜냐니? 그게 네 이름이잖아, 도둑."

생각지도 못한 대답에 데쓰는 깜짝 놀랐다.

'그럴 리 없어. 내 이름은 오히라 데쓰야. 도둑이라니, 그건 이름이 아니잖아!'

그러나 그때 눈에 들어온 한 가지.

데쓰의 모든 소지품에 은색 글자가 나타나 있는 게 아닌가. 필통에도 연필에도 공책과 가방에도 모두 '도둑'이라는 글자가 번쩍거리고 있었다.

"그, 그럴, 그럴 리가 없는데……. 아니야! 나는 도둑이 아니야! 내, 내 이름은…… 데, 데, 데……."

아무리 해도 데쓰라는 이름을 말할 수가 없었다.

이것은 분명 〈사인 코인〉의 힘이다. 그렇게밖에 생각할 수 없다. 하지만 어떻게?

'어쩌면…… 내, 내가 남의 물건을 훔쳐서, 그래서 이름이 도둑으로 바뀌어 버렸나?'

선생님이 창백해진 데쓰의 얼굴을 걱정스럽게 들여다보았다.

"도둑, 괜찮니? 조퇴할래, 도둑?"

"아, 아니에요!"

데쓰는 자기도 모르게 소리를 꽥 질렀다.

"아니야, 아니야, 아니라고! 나는 도, 도둑이 아니야! 내 이름은 도둑이 아니라고! 으어어엉!"

대성통곡을 하는 데쓰를 모두가 어이없다는 얼굴로 바라보고 있었다.

데쓰는 그날 내내 '도둑'이라고 불렸다. 유키야에게 광석을 돌려주고 훔친 것을 사과할 때까지 '데쓰'라는 본래 이름은 돌아오지 않았다.

⬤ 오히라 데쓰 · 11세 · 남자아이 · 1999년 발행 50엔

근육질 라테 프리미엄

"흐읍, 배가 너무 나왔잖아."

어느 날 아침, 대학생 마사오는 거울 앞에 서서 툴툴거렸다.

불룩 나온 배. 마치 임신부 같다.

"얼마 전까지만 해도 이 정도는 아니었는데······."

마사오는 중얼거리면서 한숨을 푹 쉬었다. 고등학생 때는 검도부에서 열심히 운동을 해서 몸도 단단하고 건강했었다.

그런데 대학에 입학해 혼자 살면서부터 만날 앉아서 공부만 하다 보니 어느새 이런 꼴이 됐다.

"안 되겠어, 정말······. 큰일이다, 큰일."

이번 여름 방학에 대학교 친구들과 바다에 가기로 약속했다. 당연히 수영복 차림으로 놀 것이다.

'이런 몸으로 수영복을 입는 건 말도 안 돼. 다른 애들은 열심히 운동했겠지? 어휴, 어쩌자고 살이 이렇게 찔 때까지 가만있었냐. 나 자신이 싫다, 싫어. 탄탄한 근육질 몸매로 수영복을 입고 나타나면 다들 부러워할 텐데. 이런 배불뚝이 몸은 놀림이나 안 당하면 다행이지.'

살찌고 배 나온 모습이 싫다면 운동을 해서 몸을 만드는 수밖에 없다. 헬스장에 등록하고 아침저녁으로 운동을 다닐까 생각도 해 봤지만 그럴 시간이 없다. 여름 방학을 앞두고 모든 과목의 시험이 기다리고 있었다. 이번 기말고사에서 낮은 점수를 받으면 유급될지도 모른다.

유급만은 절대 안 된다. 한 학기를 더 다니게 되면 학비를 내 주시는 부모님을 뵐 면목이 없다. 그렇다고 이 몸매로 바다에 가는 건 싫다.

'하아, 여름 방학 약속을 취소할까? 아니, 그래도 다 같이 고기도 구워 먹고 신나게 놀고 싶은데…… 어떡하지? 어떡할까?'

답 없는 고민을 되뇌며 마사오는 학교로 향했다.

오늘 아침은 지하철역 앞 햄버거 가게에서 먹을 생각이었는데, 햄버거 세트는 칼로리 폭탄이다. 아침을 거를까 싶었지만 이제 와서 먹는 걸 신경 쓴다고 크게 달라질 건 없을 것 같았다. 강의도 줄줄이 있고 하루 종일 힘들 테니 잘 챙겨 먹어야 점심까지 버틸 수 있다.

마사오는 코를 자극하는 햄버거 냄새에 이끌려 어슬렁어슬렁 가게 안으로 들어갔다. 그리고 홀린 듯이 고기와 치즈가 듬뿍 든 더블 패티 햄버거에 감자튀김 큰 사이즈, 치킨너깃 열 개 세트를 주문해 버렸다.

마사오는 가게 밖 테라스 자리로 가서 그 많은 음식을 우걱우걱 먹어 치웠다. 곧바로 후회가 밀려들었다. 먹을 때는 행복했는데 지금은 더없이 불행한 기분이다.

'아아, 지금 먹은 걸로 또 살이 엄청 찌겠지? 에잇, 단번에 살이 쏙 빠지고 근육이 불끈 솟아오르는 약 같은 게 있으면 좋을 텐데…….'

그런 생각을 하면서 불룩 나온 배를 슬프게 바라보고 있었을 때다.

"혹시 살을 빼고 싶으시옵니까?"

어느새 마사오 옆자리에 웬 아주머니가 앉아 있었다.

하얀 머리카락에 자주색 기모노 차림을 한 아주머니는 마사오를 보고 빙긋 웃었다.

속마음을 들킨 것 같아 얼굴이 확 붉어졌지만 성격 좋은 마사오는 어색한 웃음을 지으며 대답했다.

"그렇죠, 뭐. ……근데 그걸 어떻게 아셨어요?"

"그야, 식사 후에 그렇게 낙심한 표정으로 배를 바라보고 계시니까요. 후후, 괜찮으시다면 도움이 되어 드리고 싶사옵니다."

아주머니는 커다란 보따리에서 페트병 하나를 꺼냈다. 커피 우유 같은 음료가 든 자그마한 페트병에는 금색과 검은색 글씨로 '근육질 라테 프리미엄'이라고 쓰여 있었다.

"그게 뭐예요?"

"저희 가게의 대표 상품이옵니다. 사실 저는 과자 가게를 운영하고 있사옵니다. 과자는 물론이고 몸에 좋은 상품도 판매하고 있습지요."

"과자 가게에서 건강식품이라니 특이하네요."

"호호, 그렇사옵니다. 이 〈근육질 라테 프리미엄〉은 지방을 태우고 근육을 키워 주는 건강 음료이옵니다. 예를 들면 장을 보거나 학교에 가기 위해 걷기만 해도 평소보다 세 배나 더 많은 칼로리를 소모하게 해 준답니다."

"그 말이 진짜예요?"

"네에, 네에. 지금 특허를 신청 중입지요. 그만큼 아주 대단한 물건이옵니다."

아주머니는 이렇게 만난 것도 인연이라며 〈근육질 라테 프리미엄〉을 마사오에게 선물로 주겠다고 했다.

마사오는 살짝 의심스러웠다.

'건강 음료라고? 그렇게 효과가 뛰어나다면서 그냥 준다니 이상하잖아. 괜히 마셨다가 심각한 부작용이 생기는 거 아냐? 공짜로 준다고 해 놓고 나중에 돈을 몇 배로 달라고 하면 어떡하지?'

신경 쓰이는 점이 한두 가지가 아니었지만, 결국 마사오는 〈근육질 라테 프리미엄〉을 받고 말았다.

그때 마사오는 지푸라기라도 잡는 심정이었다. 그만큼 간절했다. 자기 혼자서는 단시간에 몸매를 바꿀 수 없다는 걸 알고 있었으니까. 음료수 하나로 크게 달라지지는 않겠지만, 부기라도 조금이나마 빠진다면 한 번쯤 모험을 해 봐도 괜찮을 것 같았다.

"고, 고맙습니다. 나중에 마셔 볼게요."

"네, 틀림없이 도움이 될 것이옵니다."

아주머니는 빙긋 웃고는 일어섰다.

"드신 뒤에 바라시는 결과가 나타난다면 꼭 저희 가게를 홍보해 주시옵고요. 저희 가게 이름은 〈전천당〉입니다. 그 페트병에 홈페이지 주소가 적혀 있으니 상품평도 꼭 올려 주시옵소서."

기묘한 말투를 쓰는 기묘한 아주머니는 그 말을 끝으로 테라스 자리를 떠났다.

마사오도 학교에 가려고 자리에서 일어났다. 그러나 머릿속에는 온통 〈근육질 라테 프리미엄〉 생각뿐이었다.

"아, 이걸 어쩌지? 너무 신경 쓰여서 못 참겠어. 그냥 지금 마셔 버리자. 이 음료수에 이상한 게 들어서 배탈이 난다면 그건 또 그때 가서 생각할 일이지."

마사오는 일단 마셔 보기로 마음먹었다. 〈근육질 라테 프리미엄〉 뚜껑을 열고 걸어가면서 한 모금 마셨다. 아주 맛있었다. 고소하고 진한 우유에 커피 향이 향긋하게 올라왔다. 첫맛은 꽤 달콤했지만 뒷맛은 깔끔하고 개운

했다.

그래서일까? 배가 많이 불렀는데도 눈 깜짝할 사이에 다 마셔 버렸다.

'자, 이제 어떻게 될까?'

기대와 걱정이 뒤섞인 마음을 안고서 마사오는 학교 안으로 들어갔다. 그리고 반나절이 훌쩍 지났지만 특별히 달라진 것은 없었다.

"속았나?"

아무리 생각해도 그 아주머니가 말한 것같이 편리한 음료수가 존재할 리 없었다.

"손해를 본 건 아니니까. 공짜 음료수 하나 받았다고 치지 뭐."

마사오는 가지고 있던 〈근육질 라테 프리미엄〉 페트 병을 쓰레기통에 버리고 그 일은 잊기로 했다.

그런데 며칠 뒤 강의실에서 친구인 신타로가 말했다.

"마사오, 너 살 뺐냐?"

"응?"

"몸이 좀 날렵해진 거 같아서. 혹시 운동해?"

"아니, 그럴 시간이 어딨어…… 근데 정말 살 빠진 것처럼 보여?"

"넌 거울도 안 보냐? 봐, 배도 많이 들어갔잖아."

마사오는 자기 배를 내려다보았다. 듣고 보니 확실히 홀쭉해졌다. 바로 며칠 전까지만 해도 임신부 같았는데.

무슨 영문인지 골똘히 생각하다가 마사오는 〈근육질 라테 프리미엄〉을 떠올렸다.

"서, 설마…… 그게 정말로 효과가 있는 거였나? 에이, 그럴 리가…….

그렇게 중얼거리면서 마사오는 한동안 상황을 지켜보기로 했다.

한 주가 더 지났을 무렵에는 몸의 변화가 더 뚜렷하게 나타났다. 먼저 몸이 전체적으로 가늘어졌고 몸 이곳저곳에 근육이 조금씩 붙은 게 눈에 보였다.

마사오는 날마다 집에 돌아오기 무섭게 팬티만 입고 거울 앞에 섰다. 점차 복근도 선명해졌다. 가슴이 두툼해지고 어깨와 팔이 울룩불룩해지면서 장딴지도 탄탄해졌다.

"머, 멋있다!"

마사오는 자기 모습에 반할 지경이었다.

'이야, 몸이 운동선수 같네! 운동도 안 했고 식단 조절도 안 했는데 어떻게 이런 효과가 나타났지? 어쨌든 훌륭하다, 훌륭해.'

"이 정도 근육이면 바다에 가서 수영복 차림으로 돌아다녀도 부끄럽지 않겠지!"

살에 대한 걱정을 덜자 시험에 집중할 수 있었다. 물론 여름 방학 때 바다로 놀러 간다는 계획도 착착 진행되었다.

좋아서 어쩔 줄 몰라 하면서 마사오는 공부에 힘썼다.

마침내 모든 시험이 끝나고 여름 방학이 시작되었다. 마사오는 친구들과 일찌감치 바다로 출발했다.

쨍쨍 내리쬐는 태양 아래 푸른 바다가 펼쳐졌다. 바닷가는 사람들로 북적였고 마사오 나이 또래의 여자들도 삼삼오오 모여 있었다.

마사오 일행은 들뜬 마음으로 환호성을 질렀다.

"우아아, 바다다, 바다!"

"하하, 신난다!"

마사오와 친구들은 바다에 들어갈 생각에 부풀어 서둘러 수영복으로 갈아입었다. 그런데 수영복 차림의 마사오를 보고 친구들 눈이 휘둥그레졌다.

"마, 마사오……, 너 운동했냐?"

"헤헤, 몸을 좀 만들었지. 오늘을 위해서!"

"너 혼자 그러기 있냐? 야, 치사하다!"

"자기 혼자 돋보이시겠다?"

"하하하."

마사오는 만족스럽게 웃으면서 해변으로 뛰어나갔다.

그 순간 바닷가에 있던 사람들이 술렁거렸다. 당연하
다. 지금 마사오의 몸은 단단한 근육으로 뒤덮여 있었다.
그리스 조각상처럼 군살이 하나도 없는 매끈한 몸이다.
사람들이 감탄과 부러움의 시선을 보냈다.

"저 사람 좀 봐. 근육이 장난 아니야."

"울퉁불퉁 멋있네!"

"보디빌더 같은데?"

"그렇겠지? 근육 봐. 하루 이틀 운동한 몸이 아냐."

여기저기서 터져 나오는 감탄의 소리를 듣고 마사오
는 의기양양했다. 기분이 더할 나위 없이 좋았다. 〈근육
질 라테 프리미엄〉을 마시기 정말 잘했다고 생각했다.

그때 또래로 보이는 여자들이 마사오에게 다가오더니

말을 걸었다.

"친구들이랑 놀러 왔어요? 우리랑 같이 수영할래요?"

또래 여자들이 먼저 말을 걸어 주다니, 지금껏 겪어 보지 못한 일이다. 마사오는 어떻게 해야 할지 몰라 당황했지만 입꼬리는 자꾸만 올라갔다.

"그, 그게 제가 친구들이랑 왔는데…… 어, 마침 저기 오네요!"

그렇게 마사오와 친구들은 또래 여자들과 어울려 즐겁게 놀았다.

마사오는 그중 리미라는 친구에게 자꾸 눈길이 갔다. 웃는 얼굴이 아주 귀엽고 대화가 잘 통해 즐거웠다.

"리미, 바다에 들어가서 수영할래?"

마사오가 리미에게 말을 건넸다. 하지만 리미는 주저하며 손사래를 쳤다.

"나 헤엄 못 쳐. 그래서 물에 빠질까 봐 무서워."

"깊은 데로만 안 가면 괜찮아. 그리고 만약 무슨 일이 생기면 내가 구해 줄 테니 걱정 마. 나, 수영 엄청 잘해."

마사오가 자신만만하게 말하자 리미는 마음을 놓는 것 같았다.

"그럼 부탁할게. 내가 물에 가라앉으면 꼭 구해 줘야해!"

"물론이지. 자, 내가 먼저 가서 조금 앞쪽에서 기다릴게. 넌 내가 있는 곳까지 헤엄쳐서 따라와."

"그래, 좋아."

이제 멋있게 수영하는 모습을 보여 줘야 한다.

마사오는 힘차게 바다로 뛰어들었다. 햇볕에 달궈졌던 살갗에 차가운 바닷물이 닿자 상쾌했다. 마치 온몸에 바닷물이 스며드는 것 같았다.

'좋았어. 리미가 놀랄 만큼 멋들어지게 헤엄쳐야지. 아주 깊은 곳까지 잠수해 볼까? 어, 저 아래에 뭐지? 조개껍데기가 꽤 크네! 저걸 주워서 리미에게 선물해야겠다.'

마사오는 돌고래처럼 몸을 비틀며 조개껍데기를 향해 헤엄치기 시작했다.

그런데…….

웬일인지 몸이 가라앉지를 않았다. 팔다리를 아무리 세차게 움직여도 몸이 물속으로 조금도 잠기지 않았다. 마치 몸에 튜브라도 끼고 있는 것 같았다.

마음먹은 대로 되지 않자 마사오는 초조해졌다. 일단

숨을 쉬려고 물 밖으로 얼굴을 내밀었다.

"꺄아아앗!"

그때 귀를 찢는 듯한 높은 비명 소리가 울려 퍼졌다. 돌아보니 파도 사이로 리미가 보였다. 리미는 얼굴을 일그러뜨린 채 마사오를 손가락으로 가리키며 소리를 질러 댔다.

"왜 그래, 리미?"

마사오가 얼른 다가가려 했지만 리미는 등을 돌려 무서운 속도로 달아났다. 영문을 모르는 마사오는 일단 리미를 뒤쫓아 바닷가를 향해 헤엄쳐 갔다. 물 밖으로 나오는 순간 몸이 엄청 무겁게 느껴졌다.

"어어? 왜 이러지?"

자기 몸을 내려다본 마사오는 그만 기절할 뻔했다. 홀쭉했던 배는 한껏 부풀어 물풍선 같았다. 다리도 마찬가지였다. 종아리와 허벅지가 금방이라도 터질 듯이 퉁퉁하게 부풀어 있었다. 팔을 봤더니 꼭 햄 덩어리 같았다.

"으아악! 마, 말도 안 돼!"

마사오는 자기 몸에 일어난 변화를 도무지 믿을 수 없었다. 해수욕장 휴게실로 허둥지둥 걸어가며 마사오는

생각했다.

'휴게실 샤워장에 가면 거울이 있잖아. 거울로 똑똑히 확인해 보자.'

그러나 몸이 너무나 무거워서 다리가 자꾸만 꼬였다. 마사오는 쿵 넘어졌고 옆에 있던 해변용 의자에 머리를 세게 부딪쳤다.

그 순간 정신이 아득해졌다.

퍼뜩 정신이 들었을 때 마사오는 병원 침대에 누워 있었다. 침대 주변에 둘러서 있던 친구들이 마사오를 바라보았다.

"마사오!"

"마사오, 정신이 들어?"

마사오는 자기 이름을 애타게 부르는 친구들을 마주보았다. 머리가 지끈거리고 뭐가 뭔지 얼떨떨했다. 마사오는 간신히 입술을 달싹여 물었다.

"어떻게 된 거야?"

"······쓰러지면서 머리를 부딪쳤어."

"그리고 몸이 갑자기 뒤룩뒤룩해졌어."

"나중에 보고 놀랄까 봐 미리 말해 두는데 지금도 그 상태야."

친구들 말을 듣고 마사오는 겨우 기억이 났다.

'맞아. 바다에 들어갔다가 갑자기 몸이 크게 불어났고⋯⋯.'

마사오는 얼른 팔을 보았다. 축 늘어진 투실투실한 살이 눈에 들어왔다. 근육이라고는 눈곱만큼도 찾아볼 수 없었다. 게다가 누워 있는데도 언덕처럼 불룩하게 솟아올라 있는 배가 보였다.

'정말로 이런 몸이 되어 버렸다고?'

마사오는 얼굴이 창백해졌다. 마치 악몽을 꾸고 있는 것만 같았다. 바다에 들어가기 전까지는 그렇게 멋있는 모습이었는데 믿을 수 없었다.

'너무 부끄러워! 쥐구멍에라도 들어가고 싶어!'

이때 마사오는 퍼뜩 리미 생각이 났다.

'그 아이는 어떻게 됐을까?'

마사오는 멈칫거리며 친구들에게 물었다.

"그런데⋯⋯ 리, 리미는?"

"그 애는 도망갔지. ⋯⋯엄청 겁을 먹었더라고. 근데

그러는 것도 이해돼. 우리도 무서웠는걸, 뭐."

"맞아. 우린 네가 진짜로 변신한 줄 알았다니까. ……
어떻게 된 거야? 혹시 바닷물 알레르기라도 있어? 그래
서 온몸이 부어오른 거야?"

"아냐, 그런 알레르기 같은 거 없어. 지금까지 몇 번이
나 바다에서 수영도 했었고."

마사오는 순간 깨달았다.

'이게 바로 부작용 아닐까? 그래, 〈근육질 라테 프리미
엄〉의 부작용이야. 어떤 이유 때문에 효과가 다해서 지
방이 갑자기 늘어나 버린 게 틀림없어.'

마사오는 처음으로 〈근육질 라테 프리미엄〉을 마신
것을 후회했다. 뒤이어 화가 치밀었다.

'뭐야! 이렇게 허접한 물건을 엄청난 효과가 있는 것처
럼 속여서 주다니! 그냥 넘어가지 않을 거야. 흥, 자기네
가게를 홍보해 달라고? 그래, 기꺼이 해 주마. 가게 이름
이 뭐였더라? 아, 그래. 〈전천당〉이었어.'

마사오는 친구들을 바라보며 천천히 입을 열었다.

"있잖아……, 너희한테 일러 주고 싶은 얘기가 있어.
혹시라도 〈전천당〉이라는 과자 가게를 한다는 아주머니

가 물건을 권하면 절대로 받지 마. 순 엉터리니까."

"〈전천당〉?"

"과자 가게?"

"응. 내가 이렇게 된 것도 분명히 거기서 파는 음료수 때문이야."

마사오는 그동안 있었던 일을 친구들에게 모두 털어놓았다.

⬤ 우에토 마사오 · 21세 · 남자 · 햄버거 가게에서 만난 아 주머니에게 〈근육질 라테 프리미엄〉을 받았다.

수상한 회의

자정이 가까운 시각, 커다란 회의실에 사람들이 모여 있다. 그 가운데 반은 하얀 가운 차림이고, 나머지 반은 자주색 기모노 차림이다.

　기모노를 입은 사람들은 한 명도 빠짐없이 여자다. 나이는 다양하지만 모두 하얗게 물들인 머리카락을 틀어 올렸다.

　회의를 이끄는 50대 남자가 자리에서 일어섰다. 온화한 표정을 짓고 있는 양복 차림의 신사였지만, 눈매는 날카롭고 차갑다.

　남자는 모인 사람들을 둘러보며 말했다.

　"자, 각자 진행 상황을 보고해 주기 바라네. 먼저 실행

부부터 시작해 볼까?"

"네."

기모노 차림의 여자가 일어났다.

"결과부터 말씀드리자면 지금까지 실행부에서는 43개 상품을 배포했습니다. 교수님이 개발하신 상품 여섯 가지 중 가장 많이 나눠 준 것은 〈근육질 라테 프리미엄〉입니다. 이 상품은 체육관이나 요가 학원에 다니는 사람들과 비만의 조짐이 보이는 대학생 등이 받아 주었습니다. 앞으로도 그런 사람들을 목표로 상품을 나누어 주려고 합니다."

"좋아."

교수라고 불린 남자는 만족스럽게 고개를 끄덕였다.

"출발이 상당히 좋군. 다들 열심히 해 주고 있네. 익숙하지 않은 의상을 입고 다니느라 피로하지는 않나?"

위로의 말을 듣고 실행부 부원들은 표정이 밝아졌다. 그중 한 사람이 대답했다.

"감사합니다, 교수님. 그런데 기모노 입는 것보다 독특한 말투를 쓰는 게 훨씬 어렵습니다. 아직도 말이 쉽게 나오지 않는다니까요."

"딱히 익숙해지려고 애쓸 건 없네. 사람들에게 머리카락이 새하얗고 자주색 기모노를 입은 수상한 여자라는 인상만 남기면 그만이니까. 그보다 43개의 상품을 나누어 주었다는 것은 적어도 43명이나 되는 사람이 우리가 개발한 물건을 〈전천당〉의 상품인 줄 알고 사용했다는 뜻인데…… 이제 결과도 슬슬 나오기 시작했을 걸세. 사람들 반응은 어떤가? 무슨 움직임이라도 있나?"

교수의 질문에 하얀 가운을 입은 젊은 남자가 벌떡 일어났다.

"예, 교수님이 말씀하신 대로 홈페이지에 후기가 속속 올라오고 있습니다. 대부분 비판이나 불평, 불만입니다. 인터넷상에서도 〈전천당〉에 대한 악평이 퍼지고 있고요. 〈전천당〉에서 파는 과자나 음료수를 먹고 심각한 부작용이 생겼다고 말입니다."

"심각한 부작용?"

교수는 차갑게 웃었다.

"흐음, 어떤 일이 벌어졌을지 눈에 선하군. ……아마도 그 인간은 바다나 수영장에 들어갔을 거야. 그리고 갑자기 몸이 불어났을 테지."

"불어나요?"

"그래. 하지만 몸이 불어난 덕분에 목숨은 건졌을 걸세. 그대로 수영했다면 물에 가라앉았겠지. 내가 세포를 조작해서 근육을 증가시켜 놨거든. 마치 풍선이 맷돌로 바뀐 듯한 느낌이었을 걸세. ……몸은 알아. 그래서 스스로를 지키기 위해 그때까지 만들어진 근육을 한꺼번에 줄이고 오히려 지방 세포를 늘려서 물에 빠지지 않도록 했을 거야. 일종의 자기방어라고 볼 수 있네. 그 상황에 처한 당사자야 부작용이라고 생각할 수밖에 없겠지만 말일세."

"그래서 드리는 말씀인데요, 교수님. 〈근육질 라테 프리미엄〉을 보완해서 상품화할 수는 없습니까? 다이어트 업계를 겨냥해 판매하면 엄청난 이익을 얻을 겁니다."

"아니, 안 될 말이네. 그 음료는 아직 품질이 균일하지 않고 효과도 두 달이면 사라져 버려. 말하자면 불량품이지. 〈전천당〉의 조악한 상품으로 내놓는 것 말고는 이용 가치가 없어. 〈라푼체엘 프레체엘〉도 마찬가지네. 머리카락뿐 아니라 온몸에 있는 털에 영향을 주니까 상품화에는 맞지 않아. 게다가 상품화가 우리의 목적이 아니라는 것은 자네들도 이미 알고 있지 않나?"

교수는 눈을 번뜩이면서 연구소 직원들을 한 명 한 명 둘러보았다.

"자네들이 열심히 일해 줘서 나는 아주 만족하고 있네. 지금까지 잘해 주었어. 하지만 아직 부족해. 〈전천당〉의 악행을 더욱더 퍼뜨리고 다녀야 하네. 이 프로젝트와 맞지 않는 사람은 세키노세처럼 그만둬도 상관없어. 눈앞의 이익에 눈이 어두운 사람도 내 연구소에는 필요 없네. 자, 어떻게 할 텐가?"

아무도 대답을 하지 않았다.

그저 하얗게 질려서 숨을 죽이고 있는 연구소 직원들을 보며 교수는 빙긋 웃었다.

"다들 이해한 것 같군. 그럼 계속 부탁하네."

그렇게 보고 회의는 끝이 났다.

복스러운 복숭아

"엄마, 이 사람은 누구야?"

딸 유즈키가 들고 온 사진을 보고 스즈코는 자기도 모르게 웃음이 새어 나왔다.

"어머, 그거 엄마야. 아, 그리운 옛날이여!"

"피, 거짓말! 이렇게 예쁜 언니가 정말 엄마라고?"

"그래. 엄마 열여덟 살 때야. 예쁘지?"

실제로 사진 속 스즈코는 연예인이라고 해도 믿을 만큼 예뻤다. 반들반들 윤기 나는 긴 머리칼, 화려하게 빛나는 미소까지. 게다가 체조부에서 운동을 해서인지 팔다리도 길쭉길쭉하고 가늘었지만 몸이 탄탄하고 건강해 보였다.

한참 사진을 보던 스즈코는 지금의 자기와는 완전히 딴사람 같아서 쓴웃음을 지었다.

유즈키도 믿을 수 없는지 스즈코와 사진을 번갈아 가며 보았다.

"예쁘네⋯⋯. 아니, 근데 왜 이렇게 됐어?"

"그야 널 낳고 듬직한 엄마로 살아가다 보니 아무래도 예전 같을 순 없지. 그래도 한때는 학교에서 엄마 모르는 사람이 없었어. 얼굴도 예쁘고 노래도 잘해서 별명이 '마돈나'였다니까. 엄청 예쁘고 매력적인 미국 가수랑 닮았다고."

"후유, 예전의 가녀린 마돈나가 어쩌다 이렇게 천하장사로 변하셨는지⋯⋯. 세월이 야속하여라, 히힛."

유즈키는 대수롭지 않게 내뱉은 농담이었지만, 스즈코는 그 말에 마음의 상처를 입었다.

그날 밤 스즈코는 거울 앞에 서서 자기 모습을 가만히 바라보았다. 여기저기 군살이 붙어서 퉁퉁하다. 머리칼은 푸석푸석하고 피부는 기미와 주근깨가 잔뜩 앉아서 얼룩덜룩하다.

다른 때라면 신경도 안 썼을 텐데 오늘은 죄다 눈에 거

슬리고 못마땅했다.

마돈나라고 불리던 건 벌써 30년 전이다. 그만큼 나이를 먹었으니 체형이 달라지는 것도 당연하다.

하지만 그렇게 생각하려고 애쓸수록 스즈코는 비참한 기분이 들었다.

"그 마돈나는…… 어디로 가 버렸을까?"

스즈코는 무겁게 한숨을 쉬었다.

그런데 며칠 뒤 집으로 날아든 우편물 하나가 스즈코를 더욱 뒤숭숭하게 만들었다. 고등학교 동창회를 알리는 초대장이었다.

'어떡하지?'

스즈코는 안절부절못했다. 오랜만에 그리운 얼굴들을 만나고 싶었다. 그러나 이렇게 변해 버린 자신의 모습을 보이고 싶지는 않았다.

게다가 또 하나 마음에 걸리는 것이 있었다.

사실 스즈코한테는 학창 시절 서로를 의식하던 라이벌 관계의 친구가 있었다.

성격이 시원시원한 스즈코와는 조금 다른, 애교가 많고 나긋나긋한 센다 리카코. 눈에 띄는 외모에, 사랑스럽고 매력이 넘쳐서 남자아이들 사이에서 인기가 좋았다.

'30년이 흘렀어. 리카코는 어떤 어른이 되었을까? 나처럼 어릴 적 모습과는 영 딴판으로 변했을까, 아니면 여전히 귀여운 모습일까?'

문득 고등학교 때의 마음, 그 아이한테 지기 싫다는 마음이 되살아났다.

스즈코는 거울을 보았다.

지금도 못생긴 건 아니다. 살이 좀 찌기는 했지만 신경써서 꾸미면 아직은 괜찮을 것이다. 지금부터 다이어트를 할까? 그렇지만 살을 뺀다고 젊어지는 건 아니다.

'아아, 통통 튀는 젊음을 되찾으면 좋으련만. 그럼 그시절 마돈나로 돌아갈 수 있을 텐데……'

스즈코는 세월이 가져가 버린 젊음이 얼마나 크고 소중한지 실감하고는 슬픔에 잠겼다.

며칠 뒤, 스즈코는 저녁거리를 사러 시장에 갔다. 길을 걸어가는데 머릿속에는 온통 동창회 생각뿐이었다.

'가지 말까 봐. 이렇게 아줌마가 된 모습, 보여 주고 싶지 않아. 무엇보다 리카코를 만나기가 두려워. 하지만 오랜만에 친구들도 보고 싶고 이런저런 이야기도 하고 싶

은데 어떡하지?'

스즈코가 애를 태우며 생각에 잠겨 있었을 때다.

"냐아앙."

귀여운 고양이 울음소리에 스즈코는 퍼뜩 정신을 차렸다.

반들반들한 털이 아름다운 커다란 검은 고양이가 눈앞에 서 있었다. 고양이는 지혜로워 보이는 푸른 눈으로 스즈코를 물끄러미 올려다보았다. 목에 방울을 달고 있는 걸 보니 누군가 키우는 고양이인 듯했다.

"어머, 예쁜 고양이네. 야옹아, 너 어디서 왔어?"

고양이를 좋아하는 스즈코는 자기도 모르게 쪼그리고 앉아서 쓰다듬으려 손을 뻗었다.

그때였다.

"스미마루!"

저쪽에서 한 여자가 이름을 부르며 뛰어왔다.

스즈코는 눈이 휘둥그레졌다. 여자는 씨름 선수 같은 몸집에 커다란 여행용 가방을 들고 기모노까지 입고 있었는데 몸놀림이 놀라울 정도로 가벼웠다.

여자는 눈 깜짝할 사이에 스즈코 쪽으로 다가오더니

검은 고양이를 나무랐다.

"아니, 그렇게 갑자기 뛰어가 버리면 어떡합니까? 얼마나 놀랐는지 아세요? 자동차나 자전거에 치이기라도 하면 어쩌려고요?"

기묘한 말투로 이야기하는 여자의 어깨 위로 검은 고양이가 경중 뛰어올랐다. 그러고는 스즈코 쪽을 보면서 "냐아." 하고 울었다.

"호오오."

여자는 고양이에게 맞장구를 쳐 주듯 높은 소리로 웃으며 스즈코를 보았다.

스즈코는 놀랐다. 여자는 머리카락이 눈처럼 흰데 얼굴에는 싱그러운 젊음이 넘쳐흘렀다. 그저 젊음만 느껴지는 게 아니라 사람의 마음을 끌어당기는 분위기가 감돌았다.

조금 샘도 났다. 여자가 풍기는 분위기의 절반만 닮았어도 자신 있게 동창회에 갈 수 있을 것 같았다.

그때 여자가 말을 붙였다.

"안녕하세요? 저희 스미마루가 길을 가로막은 것 같은데 죄송하옵니다."

"아니, 아니에요. 그 아이 이름이 스미마루인가요? 이렇게 귀여운 고양이와 산책을 하다니 참 멋지네요."

고양이를 칭찬하자 여자는 방글방글 웃었다.

"네, 스미마루는 저희 가게를 대표하는 간판 고양이이옵니다. 아주 똑똑하지요. ……가끔은 이렇게 손님을 찾아 줄 때도 있사옵니다."

그렇게 말하고서 여자는 지긋한 눈빛으로 스즈코의 얼굴을 찬찬히 살폈다.

"오늘의 행운 손님, 무언가 바라는 것이 있사옵니까? 무엇이옵니까? 무엇이든 말씀해 주십시오."

여자의 부드러운 목소리에는 거스르기 어려운 힘이 깃들어 있었다.

스즈코는 머리가 까마득해졌고 정신을 차렸을 때는 이미 속마음을 숨김없이 털어놓고 있었다.

"젊었을 때의 눈부심을 되찾고 싶어요. 젊어지고 싶다는 게 아니라…… 그때처럼 매력 넘치는 사람이 될 수 있다면 얼마나 좋을까요?"

여기까지 말하고 스즈코는 얼굴을 붉혔다.

'이런 말을 하다니, 정말 한심한 사람이라고 생각하지

않을까?'

그러나 여자는 비웃거나 어이없어하지 않았다. 오히려 고개를 끄덕여 공감해 주었다.

"그럼요, 그렇고말고요. 매력이란 나이나 외모와 관계없이 그저 마음에서 흘러넘치는 법이지요. 그러니 나이가 얼마가 되었든 매력적일 수 있사옵니다. 그렇다면 손님에게 안성맞춤인 과자를 소개해 드리겠사옵니다."

여자는 들고 있던 여행용 가방을 소리 나게 열었다.

가방 안에는 갖가지 과자와 장난감이 잔뜩 들어 있었다. 〈섞어 빵과자〉, 〈냥이 기사〉, 〈비틀비틀 요요〉, 〈의좋은 과자〉, 〈인기 통통 떡〉, 〈탱고 떡꼬치〉, 〈자동 응답 달팽이 스티커〉, 〈메커닉 스낵〉.

그 과자들을 보고 있는 것만으로도 스즈코는 마음이 설레고 정신을 차릴 수가 없었다.

"어머머, 웬일이야. 아이처럼 가슴이 뛰어서 못 참겠네. 그래도 한눈에 알겠어. 보통 가게에서 흔히 파는 물건들은 절대 아니야. 틀림없어."

그때 여자가 여행용 가방 안에서 조그만 통조림 하나를 꺼냈다.

"손님에게는 바로 이 〈복스러운 복숭아〉가 딱 맞사옵니다."

여자가 통조림을 내밀자 스즈코는 심장이 철렁 내려앉았다.

어디서든 흔히 볼 수 있는 과일 통조림 같았다. 먹음직스러운 복숭아 그림이 그려져 있고, 복숭아색 글자로 '복스러운 복숭아'라는 이름이 크게 적혀 있었다.

그저 그뿐인데 스즈코의 눈에는 왜 그토록 매력적으로 보였을까? 스즈코는 어떻게 해서든 〈복스러운 복숭아〉를 갖고 싶다고, 아니 꼭 갖고 말 거라고 마음속으로 외쳤다.

통조림을 뚫어져라 보고 있는 스즈코에게 여자가 천천히 말했다.

"이 〈복스러운 복숭아〉에는 '반짝이 복숭아'를 졸여 만든 시럽에 복숭아가 가득 들어 있사옵니다. 드시는 순간 손님의 소원이 이루어질 것이옵니다. 어떻사옵니까? 가격은 5엔이옵니다."

"너무 싸네요! 제가 살게요!"

스즈코는 허둥지둥 지갑을 꺼내서 10엔 동전을 내밀

었다. 그러나 여자는 받지 않았다.

"송구스럽습니다만, 5엔 동전으로 값을 치러 주십시오. 2009년에 발행된 5엔 동전으로만 이 물건을 사실 수 있사옵니다."

"……특이한 조건이군요."

그러나 불평을 하면 〈복스러운 복숭아〉를 팔지 않겠다고 할 것 같았다. 그게 무서워서 스즈코는 부리나케 지갑 안을 뒤져 보았다. 그리고 2009년에 나온 5엔짜리 동전을 찾았다.

스즈코는 기적이라고 생각하면서 동전을 여자에게 건네주었다.

"이거면 되나요?"

"네, 네. 오늘의 행운 동전이 틀림없사옵니다. 그럼 〈복스러운 복숭아〉를 받으십시오. 드시는 법은 그 통에 적혀 있사옵니다. 잘 읽어 보시길 바랍니다."

통조림은 생각보다 꽤 묵직해서 스즈코는 마치 금덩어리를 손에 든 기분이었다. 그야말로 꿈을 꾸고 있는 것 같았다.

조금 뒤 정신을 차리고 보니 신기한 여자와 검은 고양

이는 어디론가 사라지고 없었다.

"마법사라도 만난 기분이네."

어쨌든 갖고 싶은 것을 손에 넣었다.

스즈코는 저녁거리를 사러 나왔었다는 사실도 까맣게 잊은 채 〈복스러운 복숭아〉를 소중히 들고 서둘러 집으로 돌아갔다. 그리고 당장 깡통 따개를 가져왔다. 원터치 방식이 아니라 깡통 따개를 돌려서 따야 하는 옛날 방식 통조림이었다.

유즈키가 〈복스러운 복숭아〉를 보면 분명히 먹고 싶어 할 것이다. 그러나 스즈코는 딸에게조차 한 입도 나누어 주고 싶지 않았다. 〈복스러운 복숭아〉만큼은 자기가 독차지하고 싶었다.

눈을 반짝거리면서 끼릭끼릭 캔 뚜껑을 잘라 나갔다. 마침내 뚜껑이 열렸다.

안에 든 것은 선명한 노란색 복숭아였다. 한 입 크기로 자른 복숭아가 진한 시럽에 잠겨 있어서 보기만 해도 저절로 군침이 돌았다. 게다가 아주 풍부한 향기까지 흘러나와 코끝을 간질였다. 정신이 아득해지는 달짝지근한 복숭아 향이다.

'못 참겠어. 지금 당장 안 먹으면 죽을 거 같아.'

스즈코는 시럽에 잠긴 복숭아를 포크로 찍어 덥석 입에 넣었다.

"아유, 달아라!"

지나치게 짜릿한 단맛. 그리고 머리가 어찔해지는 향기. 마치 이 세상 과일이 아닌 듯한 맛이 입 안 가득 퍼지더니 이내 행복감이 온몸을 휘감았다.

너무나 맛있어서 스즈코는 허겁지겁 먹어 치우고, 깡통에 남은 시럽까지 꿀꺽꿀꺽 다 마셨다.

'아아, 엄청 행복해! 몸이 기뻐하며 아우성치는 게 느껴져. 왜일까? 온몸의 세포가 기운 넘치고 밝게 소리 내웃는 것만 같아.'

스즈코는 설마설마하면서도 거울 앞으로 가서 자기 모습을 비춰 보았다. 그러곤 할 말을 잃고 말았다.

거울에 비친 것은 틀림없이 스즈코였다. 통통하게 살찌고 피부에는 주근깨가 올라와 있는 것이 평소와 다르지 않았다.

그런데 낯빛이 달랐다. 지치고 나른한 표정은 온데간데없고 얼굴 가득 자신감 넘치는 미소를 머금고 있었다.

눈은 초롱초롱 빛나서 완전히 다른 사람 같은 분위기를
자아냈다.

그래서인지 스즈코는 아주 젊어 보였다. 복스러우면
서도 활기가 넘쳐서 마돈나라고 불리던 시절을 떠올리게
했다.

"어, 어떻게 이런 일이······!"

스즈코는 놀란 와중에도 이런저런 포즈를 잡아 보았
다. 어떤 자세를 취하든 잘 어울렸다. 게다가 점점 더 예
전 모습을 닮아 가고 있었다.

마음까지 다시 젊어진 것 같아서 스즈코는 쿡쿡 웃음
이 터져 나왔다.

'좋아, 오랜만에 꽃무늬 치마를 입어 보자.'

요즘에는 멋과는 거리가 먼 편한 셔츠에 면바지만 입
고 지냈다. 그렇게 다니다 보니 이젠 화려한 건 어울리지
않는다는 마음이 자연스레 들었었다.

스즈코는 그런 마음을 떨쳐 버리고 자기가 좋아하는
스타일의 옷을 입어 보기로 했다.

'용기를 내, 스즈코!'

스즈코는 서랍장에 처박아 두었던 화려한 옷들을 꺼

내어 하나하나 입어 보았다.

'이 옷 제법 잘 어울리네! 오, 이것도 의외로 괜찮은걸! 이 원피스도 맘에 들어!'

혼자만의 패션쇼를 즐기는 동안 마침내 스즈코는 깨달았다. 자신감과 당당함만 있으면 어떤 모습이든 어떤 옷차림이든 멋있고 매력적으로 보인다는 것을.

그리고 그것을 깨닫게 해 준 것은…….

"바로 〈복스러운 복숭아〉야!"

스즈코는 다 먹은 통을 둔 자리로 부랴부랴 달려가 통을 찬찬히 살펴보았다. 상표 아래쪽에 이런 글이 적혀 있었다.

〈복스러운 복숭아〉

'복스러운 복숭아'는 젊었을 때의 자신감을 되찾아 주는 멋진 통조림입니다. 이것을 먹으면 곧바로 가장 반짝이던 시절의 당신을 만날 수 있습니다. 차갑게 드시면 효과가 더욱 좋습니다.

"어머, 어떡해! 차갑게 먹는 게 더 좋다고? 벌써 다 먹어 버렸는데 어쩌지?”

중요한 부분을 놓쳤구나 싶어서 스즈코는 혀를 날름 내밀었다.

‘하지만 벌써 이렇게 뛰어난 효과가 나타났으니 이 정도도 아주 만족해. 그나저나 이 빈 통은 어쩐다? 유즈키한테 들키지 않게 잘 감추어 두었다가 재활용 쓰레기 내놓는 날에 슬쩍 버려야겠다. 그래, 그래. 동창회 초대장에도 답장을 해야지. 물론 참석한다고!’

스즈코는 들뜬 마음에 바삐 움직이기 시작했다.

한 달 뒤, 스즈코는 의기양양하게 동창회에 갔다.

모임 장소인 작은 레스토랑에는 동창생들이 벌써 많이 모여 있었다.

“오랜만이야!”

활기차게 인사하면서 들어서는 스즈코를 보고 다들 눈이 동그래졌다.

“누구……? 스즈코니?”

“스즈코라고?”

“그래, 나야, 스즈코. 이게 얼마 만이니? 시간이 너무

많이 흘러서 못 알아볼까 봐 걱정했잖아. 근데 너희 하나
도 안 변해서 금방 알아봤어!"

"아니야. ……너야말로 옛날이랑 똑같다, 마돈나."

"맞아! 진짜 놀라운데! 어쩜 이렇게 그대로일 수가 있
니, 스즈코."

"그 치마 참 잘 어울린다, 얘."

"그래? 고마워."

여러 사람한테 둘러싸여 칭찬을 들으니 스즈코는 하
늘로 두둥실 날아오를 듯이 기분이 좋았다.

'이거야, 이거. 고등학생 때와 아주 똑같은 느낌이야.
이 느낌이 그리웠어. 기쁘다.'

왁자지껄 즐겁게 수다를 떨고 있었을 때다. 레스토랑
입구 쪽이 술렁거렸다.

"앗! 리카코?"

"우아, 오랜만이야."

"어머, 리카코!"

스즈코는 휙 돌아보았다.

예상했던 대로 한때 라이벌이었던 리카코가 레스토랑
으로 들어오는 참이었다.

'아앗, 제발 꿈이라고 말해 줘!'

스즈코는 이 상황을 믿고 싶지 않아 마음속으로 소리를 질렀다.

리카코는 여전히 귀여웠다. 또글또글 동그래졌지만 학창 시절의 사랑스러움을 조금도 잃지 않았다. 순진하게 웃는 얼굴과 연분홍빛 원피스가 썩 잘 어울리는 모습에 스즈코는 질투심을 느꼈다.

이상하게 들리겠지만 스즈코는 이런 질투마저도 그리웠다. 점점 더 옛날로 돌아간 것 같은 기분에 사로잡혔다. 그곳에서 리카코는 남자아이들한테 둘러싸여 공주님 대접을 받고 있고…….

그렇지만 스즈코는 '내가 질쏘냐?'라고 생각하면서 리카코에게 먼저 다가가 웃으며 인사를 건넸다.

"오랜만이야, 리카코. 나 누군지 알겠어?"

리카코는 순간 놀란 표정을 짓더니 이내 방긋 웃으며 대답했다.

"그럼 알고말고. 스즈코잖아. 예전 모습 그대로여서 첫눈에 알아봤어. ……30년 만이네."

"그러게. 잘 지냈어? 결혼은?"

"그게 말이야, 실은 헤어졌어."

리카코는 뾰로통한 표정으로 입을 삐죽이면서 주위를 힐끔 보았다.

"정말? 어쩌다?"

"그동안 힘들었겠다. 지금은 어떻게 지내?"

"이제 괜찮아."

리카코는 친구들의 관심을 즐기며 귀여운 말투로 대답했다. 이렇게 순식간에 사람들의 마음을 사로잡고 이야기의 중심이 되는 것도 리카코가 지닌 매력이었다.

스즈코는 슬슬 짜증이 났다. 그러나 티 내지 않고 꾹 참았다.

'모처럼 참석한 동창회잖아. 리카코한테 신경 쓰지 말고 즐겁게 보내자.'

리카코의 존재를 빼면 동창회는 정말이지 즐거웠다. 식사도 맛있었고, 친구들과 오랜만에 나누는 수다도 끊이지 않았다.

즐거운 시간은 늘 눈 깜짝할 사이에 지나가 버린다. 어느새 돌아갈 시간이었다.

스즈코는 다시 만나자고 약속하고 친구들과 헤어져

역으로 향했다.

그런데 무슨 우연인지 역 앞에 이르렀을 땐 스즈코와 리카코 둘만 남게 되었다. 리카코도 스즈코와 같은 열차를 기다리는 듯 보였다.

왠지 어색했지만 스즈코는 리카코에게 말을 붙였다.

"리카코, 애들이랑 더 안 놀고 집에 가는 거야?"

"응. 내일 출근해야 하거든."

리카코는 차분한 말투로 대답했다. 단둘이 있을 때면 리카코는 상냥한 표정과 말투를 하지 않는다.

'이런 것도 옛날이랑 똑같구나.'

스즈코는 생각했다.

그때 리카코가 스즈코를 날카롭게 노려보았다.

"스즈코, 이제야 물어보는데 고등학교 2학년 때 네가 나를 미워하고 괴롭혔던 것 기억하니? 널 따르는 여자애들이랑 한편이 돼서 따돌리기도 하고……."

"일부러 괴롭히겠다고 마음먹고 그런 건 아니었어. ……근데 따지고 보면 너도 잘한 거 없지 않아? 다른 애들 남자 친구를 네가 자꾸 빼앗았잖아. 그래서 네가 애들한테 미움을 샀던 거라고."

"그러니까 지금 네 말은 애들이 넌 좋아하고 난 따돌리는 게 당연했다는 뜻이야? 스즈코, 너라고 뭐 다른 줄 알아? 농구부 고토 선배는 내가 먼저 좋아했어. 넌 그걸 알면서도 선배를 따라다녔잖아!"

"도대체 몇 년 전 얘기를 하는 거야! 그렇게 끈덕진 성격도 하나도 안 변했네!"

"누가 할 소릴! 순진한 얼굴을 하고서 심보는 시커멓다니까! 오늘도 그래! 그렇게 살이 쪄서는 아직도 마돈나라고? 웃기시네!"

"내가 너 같은 애한테 뚱뚱하다는 소릴 들어야 하냐, 이 땅꼬마야!"

스즈코는 발끈해서 소리를 꽥 질러 버렸다.

그 순간 스즈코는 몸 안에서 무언가 펑 터지는 것을 느꼈다. 풍선에서 바람이 빠지듯이 몸에 가득 차 있던 행복감과 자신감이 빠져나가는 것 같았다.

"어어? 이, 이게 뭐지?"

덜컥 겁이 나서 자기 몸을 감싸 안던 스즈코는 리카코도 똑같이 당황해서 비명을 지르고 있다는 것을 알아차렸다.

"앗! 왜 그래?"

리카코를 보며 스즈코는 외마디 소리를 질렀다.

지금 스즈코 눈앞에는 귀엽고 사랑스러운 사람이 아니라 땅딸막한 몸집에 두 눈이 퀭하고 지친 얼굴을 한 중년 여성이 있었다. 입고 있는 연분홍색 원피스도 전혀 어울리지 않았다. 마치 너구리가 사람으로 변신하려다가 실패한 것같이 보였다.

"너, 너 리카코 맞아?"

"……너야말로 스즈코 맞아?"

숨을 헐떡거리며 맞받아치는 리카코를 보고 스즈코의 얼굴이 파랗게 질렸다.

'서, 설마!'

스즈코는 허둥지둥 역 화장실로 뛰어가 거울을 들여다보았다.

"꺄악!"

스즈코는 소스라치게 놀라며 비명을 질렀다.

거울 속에서 스즈코를 바라보고 있는 사람은 피로에 찌든 얼굴에 화장을 덕지덕지 진하게 한 중년 여성, 그러니까 본래의 스즈코 자신이었다.

혼란스러워하는 스즈코 뒤로 리카코가 뛰어 들어오는 것이 보였다. 거울을 본 리카코는 스즈코와 똑같이 비명을 질렀다.

"말도 안 돼! 왜, 왜 본래 모습으로 돌아온 거야? 대체 왜, 어째서!"

리카코의 말에 스즈코는 어떤 생각이 번쩍 떠올랐다.

"리카코, 너 설마…… 〈복스러운 복숭아〉를 먹었니?"

"네가 그걸 어떻게 알아? ……앗! 그렇다면 너도?"

두 사람은 눈을 동그랗게 뜨고서 서로의 얼굴을 쳐다보았다.

어떻게 된 일일까?

알고 보니 두 사람 다 〈복스러운 복숭아〉를 먹었던 것이다. 그제야 리카코가 예전처럼 사랑스럽게 빛났던 것도 이해가 됐다.

스즈코는 망설이면서 물었다.

"혹시 머리카락이 눈처럼 새하얀 사람한테 샀어?"

"……응. 동창회에 가고는 싶은데, 너도 보다시피 이런 모습을 애들한테 도저히 보여 줄 자신이 없어서……. 그러는 너는?"

"너랑 똑같은 이유야. ……근데 어쩌다가 효과가 사라
져 버렸을까?"

스즈코는 머리를 갸웃거리며 상황을 되짚어 보았다.
그때였다.

"앗!"

리카코가 화들짝 놀라며 손으로 입을 틀어막았다.

"아, 안 돼……! 그걸 잊어버리다니."

"잊다니? 그게 무슨 말이야?"

"……〈복스러운 복숭아〉통조림통 바닥에 주의 사항
이 적혀 있었거든. 너, 안 읽었어?"

"있는 줄도 몰랐는걸. 뭐라고 적혀 있었는데?"

"그러니까 분명히…… 〈복스러운 복숭아〉를 먹은 다
음에는 다른 사람 욕을 하면 안 된다. 매력 있는 사람은
험담 따위 하지 않는 법이다. 그런 행동을 하면 〈복스러
운 복숭아〉의 힘이 빠져 버리므로 주의하라.' ……그렇
게 쓰어 있었던 것 같아."

"설마……."

스즈코는 몸에 기운이 빠지고 멍해졌다. 모처럼 얻은
〈복스러운 복숭아〉의 힘을 잃고 말았다. 리카코와 유치

한 말다툼이나 하다가.

"아아, 너무 아까워!"

머리를 감싸 쥐며 소리를 지르는 스즈코에게 리카코가 투덜거렸다.

"하라는 대로 차갑게 먹었는데! 진짜! 이게 다 스즈코너 때문이야! 사람 화나게 하는 건 여전하구나. 도저히참을 수가 없었다고!"

"내가 할 소리야! 애초에 네가 먼저 싸움을 걸었잖아! 주의 사항도 읽었다면서 무슨 생각으로 그랬어?"

"어쩔 수 없었다고!"

스즈코와 리카코는 한참 동안 티격태격하면서 서로를노려보았다.

그러는 사이 두 사람은 결국 참지 못하고 웃음을 터뜨리고 말았다. 고등학교 다닐 때와 별반 다를 것 없이 유치한 자기들 모습이 참을 수 없이 우습게 느껴졌기 때문이다.

"푸하하!"

"하하, 정말…… 우리 진짜 바보 같아."

스즈코의 말에 리카코도 웃으면서 고개를 끄덕였다.

"같은 게 아니라 영락없이 바보네. ……스즈코, 갑자기 뭐든 마구 먹고 싶어졌어. 우리, 카페에 들러서 케이크라도 먹고 갈래?"

"좋아. 오늘 밤은 칼로리 따위 신경 안 쓰고 파르페를 먹어야겠어."

"그거 좋다!"

마주 보고 히죽 웃는 두 사람은 마치 여고생들처럼 장난기가 가득했다.

◉미츠키 스즈코 · 49세 · 여자 · 2009년 발행 5엔

클린 그린티

일곱 살 신타는 곤충과 초콜릿을 좋아하고, 치과와 주사를 싫어하는 남자아이다.

그런데 요즘 들어 부쩍 싫어진 것이 있다. 바로 목욕이다. 목욕은 치과 치료나 주사와 다르게 날마다 해야 한다. 머리를 감고 몸에 비누칠을 해 빡빡 문지르고…… 그 과정이 너무 귀찮아서 참을 수가 없다.

"목욕은 한 달에 한 번만 해도 충분한데."

신타는 목욕을 안 하고 넘어갈 방법은 없을지 온갖 궁리를 했다. "나 혼자서 씻을래!"라고 말한 다음 잠옷으로 갈아입고 "다 씻었어."라고 시치미를 뗀 적도 있다. 머리카락에 물만 적시고서 "깨끗하게 씻었어요."라고 말해 보기도 했다.

그러나 다 소용없었다. 어떻게 해도 엄마한테 들키고 말았다.

"제대로 안 씻었잖아! 다시 씻고 와!"

결국 엄마의 불호령이 떨어지고 그럴수록 신타는 점점 더 목욕이 싫어졌다.

'아, 귀찮아. 너무너무 씻기 싫어. 무슨 좋은 방법이 없을까?'

신타는 그런 생각에만 골몰했다.

그러던 어느 날, 신타는 시무룩한 얼굴로 집 뒤 공터에서 곤충을 잡고 있었다.

그런데 처음 보는 아주머니가 공터로 들어왔다. 포도주스처럼 자줏빛을 띠는 기모노를 입었는데 머리카락은 하얗고 손에는 커다란 보따리를 들고 있었다. 신타의 표정이 뽀로통한 것을 알아봤는지 다가와서 물었다.

"괜찮아요? 표정이 안 좋은데 어디 아프시옵니까?"

신타가 어깨를 으쓱해 보였다.

"아니요. 그냥…… 왜 날마다 목욕을 해야 하는지 생각하고 있었어요."

"아하!"

아주머니는 고개를 끄덕였다.

"어릴 때는 그런 법이옵니다. 괜히 귀찮고 그러시지요. 알 것 같사옵니다. ······제가 목욕을 하지 않아도 되는 마법의 음료수를 권해 드려도 되겠사옵니까?"

"마법의 음료수요? 그런 게 진짜로 있어요?"

의심스러워하는 신타에게 아주머니는 고개를 끄떡해 보이고는 가지고 있던 보따리 속에서 작은 페트병을 꺼냈다. 병에는 연한 초록색 음료가 들어 있었다.

"〈클린 그린티〉이옵니다. 이 녹차를 마시면 목욕을 하지 않아도 몸에서 향기로운 비누 냄새가 풍기게 되옵니다. 게다가 얼굴이 발그레해져서 마치 방금 목욕탕에서 나온 것처럼 보입지요."

"정말요?"

"네에. 아무한테도 들키지 않을 것이옵니다. 어때요? 엄청난 음료수입죠?"

"네!"

신타는 자기도 모르게 고개를 연신 끄덕이다가 곧 얼굴을 조금 찡그렸다.

"그런데 저는 녹차 싫어해요. 써서."

"그럼 필요 없으시옵니까? 매일 목욕하시겠어요? 뭐어, 그것도 손님 자유이십니다만."

아주머니는 갑자기 쌀쌀맞게 대꾸하더니 짐짓 돌아서려는 척했다.

신타는 다급하게 소리쳤다.

"아, 아니에요! 갖고 싶어요! 그 음료수 저 주세요."

"그렇다면 드리겠사옵니다."

아주머니는 억지웃음을 지으며 신타에게 〈클린 그린티〉를 건네주었다. 하지만 오싹 소름이 끼쳤다. 어쩐지 느낌이 좋지 않았다. 하지만 기어드는 목소리로 인사할 수밖에 없었다.

"고맙습니다."

아주머니는 만족스러운 얼굴로 말했다. 자기가 〈전천당〉이라는 과자 가게를 운영하고 있으니 〈클린 그린티〉를 먹어 보고 마음에 들면 친구들을 데리고 꼭 가게로 와 달라고도 했다.

"가게가 어디 있는데요?"

"호호호, 그건 비밀. 그러니까 찾아봐 주십시오. 손님이 마음에 들어 할 과자가 이것 말고도 많이 있으니까요. 그럼 안녕히."

그렇게 말하고서 아주머니는 공터를 떠났다.

혼자 남은 신타는 손에 든 페트병을 바라보았다.

'모르는 사람이 주는 건 절대로 받지도 먹지도 말라고 엄마 아빠가 귀에 딱지가 앉도록 말했는데. 오늘 있었던 일, 엄마한테 말해도 될까?'

하지만 목욕하기 싫어서 모르는 사람이 주는 마법의 차를 냉큼 받았다는 말을 들으면 엄마는 크게 혼낼 것이 분명했다.

"뭐, 과자도 아닌데…… 괜찮겠지!"

집에 들어가기 전에 다 마셔 버려야겠다고 생각한 신타는 페트병을 따서 〈클린 그린티〉를 조심스레 한 모금 마셔 보았다.

"우에엑, 써!"

이렇게 쓴 녹차는 마셔 본 적이 없었다. 꿀꺽 삼킨 뒤에도 쓴맛이 혀에 계속 남았다. 게다가 풀을 생으로 씹은 것처럼 풀 비린내가 머리까지 훅 끼쳤다.

딱 한 모금 마셨을 뿐인데 신타는 〈클린 그린티〉가 싫

어졌다.

'끝까지 마시지 않으면 효과가 없을지도 몰라. 그래, 이건 약이야. 음료수가 아니라 약이라고 생각하자.'

신타는 단숨에 페트병을 비웠다.

전부 다 마시고 나자 꼭 숨이 끊어질 것 같았다. 싫어하는 피망도 맛있게 느껴질 것 같은 맛이었다.

'으아, 아직도 입이 써. 집에 가서 물로 헹궈야지.'

신타는 비틀거리며 집으로 들어갔다. 물론 〈클린 그린티〉 이야기는 아무한테도 하지 않았다.

그날 밤 여느 때처럼 엄마가 신타에게 말했다.

"신타, 이제 씻을 시간이야."

"조금만 더 있다가요."

"안 돼. 그럼 같이 씻자. 엄마가 귀 뒤까지 말끔하게 씻겨 줄게."

"아악, 싫어."

"싫기는 뭐가 싫어. 그럼 혼자서 씻든가."

"……귀찮은데. 내일, 내일 깨끗하게 씻을게요."

무슨 소리냐면서 엄마가 눈을 흘겼다.

"오늘 땀 많이 흘렸잖아! 밖에서 흙장난도 했다며? 그러니까 빨리 가서 씻어! 아니면 엄마가 같이 들어가서 100 셀 때까지 뜨거운 욕조 안에 있으라고 할 거야!"

"아, 알았어요. 알았다고요."

할 수 없이 신타는 욕실로 갔다.

'치, 그 아줌마 거짓말쟁이였어. 맛없어도 꾹 참고 〈클린 그린티〉를 다 마셨는데 효과가 전혀 안 나타나잖아. 아, 어떡하지? 오늘은 대충 물만 끼얹고, 몸에 비누칠은 내일 할까?'

그런 생각을 하면서 옷을 다 벗었을 때다. 갑자기 몸이 천천히 뜨거워졌다. 이어서 신타는 비누 냄새에 휩싸였다.

"어? 뭐, 뭐지?"

신타는 당황하며 옆에 있는 거울을 보았다.

얼굴이 발그레하게 달아오른 자기 모습이 거울에 비쳤다. 머리카락도 축축하게 젖어 있다. 마치 막 목욕을 마치고 나온 모습이었다. 몸에서 향긋한 비누 냄새까지 풍겼다.

"이, 이거야! 〈클린 그린티〉의 마법! 거짓말이 아니었구나! 야호!"

신타는 펄쩍 뛸 듯이 기뻤다.

'그런데 어떻게 갑자기 효과가 나타났지? 아하! 옷을 벗고 맨몸이 되어야 이렇게 비누 냄새가 나고, 목욕한 것처럼 보이나 봐.'

정말 편해졌다고 생각하면서 신타는 천천히 잠옷으로 갈아입고 엄마한테 갔다.

"다 씻었어요."

"어머, 왜 이렇게 빨리 나왔어? ……그래도 깨끗하게 씻었나 보네. 으음, 비누 냄새 좋다. 좋아, 잘했어."

'우아, 예리한 엄마를 감쪽같이 속였어. 〈클린 그린 티〉, 대단한걸!'

빙글빙글 웃으면서 신타가 말했다.

"그럼 아이스크림 먹어도 돼요?"

"그래."

이렇게 해서 신타는 지긋지긋한 목욕에서 벗어났다. 그날만이 아니라 다음 날도, 그다음 날도.

"헤헤, 이거 최곤데!"

우쭐해진 신타는 그대로 3주 동안이나 한 번도 몸을 씻지 않았다.

그러던 어느 날, 신타는 갑자기 머리가 가려웠다.

한번 가렵기 시작하자 참을 수가 없었다. 손톱으로 벅벅 긁어도 전혀 시원하지 않았다. 오히려 점점 더 가려워졌다. 자꾸 긁었더니 아프기까지 했다.

신타는 견딜 수가 없어서 울면서 엄마한테 갔다.

"엄마! 머리 가려워요! 아파요!"

"뭐? 부스럼이라도 생겼나? 어디 좀 보자."

신타의 머리칼을 헤집어 본 엄마는 "꺄아아악!" 하고 무시무시한 비명을 질렀다.

글쎄, 신타의 머리가 머릿니의 소굴이 되어 있는 게 아닌가.

머릿니들이 머리 피부에 우글우글 달라붙어 피를 빨아 댔으니 가려운 것도, 아픈 것도 당연했다.

엄마는 그길로 신타를 병원에 데리고 갔다.

"어이쿠, 이거 너무 심한데!"

신타를 진찰하던 의사 선생님조차 소리를 질렀다.

"아이가 어디서 이를 옮아왔나 보군요. 이거야 원, 일단 이 잡는 가루약을 뿌리는 수밖에 없겠어요. 혹시 모르니까 머리는 박박 깎는 게 좋습니다. 집에 가면 당장 머리부터 깎아 주세요!"

"머리를 깎는다고요? 싫어요. 나, 머리 깎기 싫어."

신타는 싫다고 징징거리며 떼를 썼지만 엄마는 고개를 끄덕이며 의사 선생님에게 말했다.

"알았습니다, 선생님. 그렇게 할게요."

"그리고 앞으로는 날마다 머리를 깨끗하게 감겨 주세요. 머리만 깨끗하게 감았더라면 이가 옮아도 이렇게 늘지는 않거든요. 앞으로 주의 깊게 살펴봐 주세요."

"하지만 저희 애는 목욕을 매일 하는데……."

엄마는 무언가 알아차렸는지 하던 말끝을 흐렸다.

병원에서 돌아오자마자 엄마는 신타의 옷을 벗겼다. 그리고 다시 비명을 질렀다.

"으악! 더러워라! 몸이 아주 새까맣잖아!"

신타의 목과 몸은 때가 덕지덕지 붙어서 얼룩덜룩 더러웠다. 〈클린 그린티〉는 비누 냄새로 속일 뿐 실제로 몸을 청결하게 해 주지는 않았다.

엄마가 눈살을 찌푸렸다.

"신타! 이게 어떻게 된 일인지 말해 볼래?"

마침내 신타는 거짓말을 했다고 털어놓았다. 모르는

아주머니한테 〈클린 그린티〉라는 음료수를 받았다고 솔직하게 말했다.

신타의 말이 끝나기 무섭게 엄마는 노발대발했다.

"모르는 사람이 주는 물건은 받지도 먹지도 말라고 엄마 아빠가 몇 번을 말했어, 응? 만약 몸에 해로운 거라도 들었으면 어쩔 뻔했어? 아팠을지도 모른다고!"

"자, 잘못했어요."

"그 여자도 참 어이가 없네. 어린애를 마법의 음료수니 뭐니 하는 말로 꾀어서 얼토당토않은 물건을 주다니! 동네에 안내문이라도 붙여서 주의를 시켜야겠어. 어떻게 생긴 사람이야? 뭐라고 했니?"

"으음……, 포도 주스처럼 자줏빛이 나는 기모노를 입었고, 머리는 하얗고……. 과자 가게를 한다고 했어요. 가게 이름이 뭐더라? 아, 〈전천당〉이었어요. 다음에 친구들이랑 오라고."

"과자 가게라고? 〈전천당〉? 알았어. 그 가게 일은 엄마가 알아서 할게. 먼저 이발기로 머리부터 밀고 곧바로 목욕하는 거야. 오늘은 엄마가 깨끗하게 씻겨 줄 테니 그런 줄 알아!"

신타는 머리를 박박 깎인 다음 욕조 속 뜨끈한 목욕물에 한참을 앉아 있어야 했다.

까까머리에 충격을 받은 신타는 잠자코 엄마에게 몸을 맡겼다. 엄마는 목욕 수건에 비누를 잔뜩 묻혀서 신타의 몸을 구석구석 빡빡 닦았다.

수건이 점점 시커멓게 변해 갈수록 엄마는 더욱더 화를 냈다.

"아유, 정말! 더러워서!"

신타는 그만하라고 소리를 지르고 싶었다.

'아아, 너무해. 엄청나게 가렵고 아팠는데, 이렇게 까까머리까지 되어 버렸잖아. 게다가 엄마한테 〈클린 그린티〉도 들키고 말았어. 아빠가 퇴근하고 오시면 아빠한테도 혼나겠지.'

신타는 이렇게 괴로운 일만 줄줄이 생길 줄 알았다면 〈클린 그린티〉를 함부로 먹지 말걸 후회했다.

그래도 딱 하나 좋은 점은 있었다. 하도 오랜만에 목욕을 했더니 기분이 아주 상쾌해진 것이다.

'목욕도 나쁘지만은 않구나!'

며칠 뒤 신타는 엄마와 함께 집 근처 슈퍼에 갔다. 신타는 과자 코너에 가고 싶었는데 엄마는 들은 체도 하지 않았다.

요즘 엄마는 신타에게 아주 엄격했다. 〈클린 그린티〉 사건으로 아직도 화가 나 있었다. 결국 오늘도 신타가 원하는 건 아무것도 사지 못했다.

장을 다 보고 슈퍼를 나왔을 때 신타는 조그맣게 한숨을 쉬었다.

아직도 가루약을 머리에 뿌려야 하고, 몸도 날마다 구석구석 엄마가 씻겨 주고 있다. 성가신 것을 싫어하는 신타로서는 정말 괴로운 일이었다.

'얼마나 더 이렇게 지내야 끝날까? 시간이 얼마나 더 흘러야 엄마의 화가 풀릴까?'

그렇게 생각했을 때다. 엄마가 우뚝 걸음을 멈추었다. 그대로 서서 무시무시한 얼굴로 앞을 노려보았다.

신타도 그쪽을 보았다.

길 건너편에서 한 아주머니가 조그만 여자아이와 이야기를 하고 있는 참이었다. 머리카락이 하얗고, 포도 주스 색 기모노를 입고, 어깨 위에 고양이를 태운 아주머니다. 큰 여행용 가방에서 반짝거리는 뭔가를 꺼내 여자아이한테 건네주고 있다.

"신타, 저쪽으로 가자."

엄마는 신타의 손을 잡아끌고 길을 건넜다.

신타와 엄마가 도착했을 때 여자아이는 가고 없었지만 아주머니는 아직 그 자리에 있었다.

가까이에서 보니 아주머니는 아주 컸다. 머리카락은 새하얗지만 젊고 얼굴에 주름 하나 없다. 입술을 곱게 칠했는데 풍기는 분위기가 아주 당당하다.

신타는 어쩐지 조금 무섭다고 생각했다.

그러나 엄마는 기죽지 않았다. 날카로운 목소리로 아주머니에게 말했다.

"잠깐 실례할게요. 당신 혹시 과자 가게 주인인가요? 〈전천당〉이라는 가게 주인이냐고요?"

"네, 그렇사옵니다만, 무슨 문제라도 있사옵니까?"

"문제라도 있냐고요? 우리 아이가 당신네 가게 물건 때문에 고생을 심하게 했다고요! 아이들한테 이상한 물건을 주다니, 부끄럽지도 않아요?"

갈라진 목소리로 소리치는 엄마를 보고 아주머니는

영문을 모르겠다는 표정을 지었다.

"댁의 아드님께서 저희 가게 물건을 사셨다고요?"

아주머니는 고개를 돌려 신타를 보았다.

"이상하군요. 저는 손님들 얼굴을 모두 기억하옵니다만, 아드님 얼굴은 전혀 기억에 없사옵니다."

신타가 엄마 옷을 잡아당겼다.

"엄마, 아니야. 이 아주머니가 아니에요."

"뭐?"

엄마는 얼굴을 살짝 붉혔지만 경계하는 태도를 거두지 않았다.

"하, 하지만 〈전천당〉이라는 과자 가게 주인이라면서요? 아무튼 당신, 마법의 음료수니 뭐니 하면서 아이들한테 이것저것 나눠 주고 있죠? 그런 짓 그만두세요. 가게 홍보하려고 그러는 것 같은데, 이 근처에서 또 눈에 띄면 그땐 경찰에 신고할 줄 아세요."

아주머니의 얼굴이 확 바뀌었다. 무서울 정도로 날카로운 눈빛으로 신타 엄마를 마주 보았다.

"그러니까 그 말씀인즉슨…… 제가 아닌 어떤 사람이 〈전천당〉 물건이라고 말하며 사람들에게 나누어 주고 있다는 것인지요?"

"네, 그래요. 우리 아이가 〈클린 그린티〉인가 뭔가 하는 이상한 차를 받아 마셨다잖아요. 그것 때문에 고생을 엄청 했다고요."

그러나 아주머니는 이미 엄마 이야기를 듣고 있지 않는 것 같았다. 천천히 신타 쪽으로 몸을 구부리더니 눈을 번뜩이며 물었다.

"〈클린 그린티〉라는 음료수를 어떻게 받게 되었는지, 그 이야기를 처음부터 끝까지 이 베니코에게 들려주시겠습니까? 부탁드리옵니다."

아주머니의 말에는 부탁이라기보다 명령과 같은 강인함이 깃들어 있었다.

어디선가 속삭임이 들리는 것만 같았다.

'이 사람의 말을 거슬러서는 안 된다. 무엇이든 하라는 대로 따라야 한다.'

결국 신타는 빠짐없이 이야기했다.

🜂 다케즈카 신타·7세·남자아이·공터에서 만난 아주
　　머니에게 〈클린 그린티〉를 받았다.

에필로그

〈전천당〉의 주인 베니코가 인기척 없는 어두운 길을 성큼성큼 걷고 있다. 복스러운 베니코의 얼굴에 보기 드물게 분노의 감정이 드리워져 있고, 눈빛도 이글거린다.

어깨에 올라앉아 있는 검은 고양이 스미마루가 근심스럽게 울었다.

"냐아아?"

"네, 스미마루. 일단 가게로 돌아가야지요. 가게를 연다손 치더라도 처리해야 할 일이 있사옵니다."

"냐?"

"그렇습니다. 이거야 원, 하필이면 〈전천당〉의 이름을 내세워 가당치도 않은 물건을 나누어 주고 다니는 사람이 있다니⋯⋯. 세키노세 씨가 들려준 이야기가 사실이었던 모양이옵니다. 더 이상⋯⋯ 잠자코 있을 일도, 봐주고 넘길 일도 아니옵니다."

그렇게 말하고서 베니코는 섬뜩한 미소를 지었다.

"그 대가를 단단히 받아 내야 하지 않겠습니까? 지켜보십시오. 이 베니코를 화나게 한 일, 반드시 후회하게 만들어 줄 것이옵니다. 그러기 위해서라도 일단 가게로 돌아가서 마네키네코들의 힘을 빌려야겠습니다. 앞으로 한동안 바빠지겠어요, 스미마루."

베니코는 미소를 지은 채 어둠 속으로 사라져 갔다.

〈16권에서 계속〉

금색 마네키네코 소개

🐾 믿음직한 모두의 리더

황금이
과자 공방장

🐾 언제나 생기발랄!

노랑이
사탕·엿 담당

🐾 약간 귀차니스트

접박이
전병 담당

🐾 장난꾸러기 콩이와 겁보 알이

콩이·알이
다른 마네키네코보다 작음.

🐾 공방장 황금이의 오른팔

구슬이

🐾 개구리를 무서워함. 🐸

냠냠이

먹보임.

🐾 섬세한 성격

차차

차 담당

🐾 강인한 성격

열매

과일 담당

🐾 둘은 쌍둥이

달콩이

초콜릿 담당

찹쌀이

떡 담당

아주 똑같이 생겨서 가끔 헷갈림.

161

히로시마 레이코 글

일본의 판타지 소설 작가로 어린이들의 두터운 지지와 사랑을 받고 있습니다.
《물 요정의 숲》으로 제4회 주니어 판타지 소설 대상을 수상하였고,
《여우 영혼의 봉인》으로 제34회 우츠노미야 어린이상을 수상하였습니다.
우리나라에 번역 출간된 작품으로 〈십 년 가게〉, 〈비밀의 보석 가게 마석관〉,
〈트러블 여행사〉 시리즈 등이 있습니다.

쟈쟈 그림

일본에서 앱·콘텐츠 제작, 웹사이트 운영과 관련된 일을 합니다.
2011년에 앱 디자이너로 독립하였고,
현재는 일러스트 제작 등으로 활동을 넓히고 있습니다.

김정화 옮김

동국대학교 일어일문학과를 졸업하고, 한일아동문학을 공부하며 일본의
좋은 어린이 책을 국내에 소개하는 일을 하고 있습니다.
옮긴 책으로 《폭풍우 치는 밤에》, 《보노보노, 좋은 일이 생길 거야》,
〈추리 천재 엉덩이 탐정〉, 〈비밀의 보석 가게 마석관〉,
〈트러블 여행사〉 시리즈 등이 있습니다.

이상한 과자 가게 전천당 15

초판 1쇄 발행 2022년 7월 11일
초판 3쇄 발행 2022년 11월 30일

글 히로시마 레이코
그림 쟈쟈
옮긴이 김정화
발행인 이종원
발행처 길벗스쿨
출판사 등록일 2006년 6월 16일 | 주소 서울시 마포구 월드컵로 10길 56(서교동)
대표전화 (02)332-0931 | 팩스 (02)323-0586
홈페이지 school.gilbut.co.kr | 이메일 gilbut@gilbut.co.kr

책임편집 권희정(heepaper@gilbut.co.kr) | 교정교열 한지연 | 제작 이준호, 손일순, 이진혁
영업마케팅 진창섭, 강요한 | 웹마케팅 지하영 | 영업관리 정경화 | 독자지원 윤정아, 최희창
디자인 윤현이 | CTP출력 및 인쇄 영림인쇄 | 제본 영림인쇄

ISBN 979-11-6406-441-0(74830)
     979-11-6406-037-5(세트)
     (길벗스쿨 도서번호 200344)

독자의 1초를 아껴주는 정성 길벗출판사
길벗 IT실용서, IT/일반 수험서, IT전문서, 경제실용서, 취미실용서, 건강실용서, 자녀교육서
더퀘스트 인문교양서, 비즈니스서
길벗이지톡 어학단행본, 어학수험서
길벗스쿨 국어학습서, 수학학습서, 유아학습서, 어학학습서, 어린이교양서, 교과서

● 작가를 모십니다.
소중한 아이디어나 원고를 홈페이지(www.junchundang.co.kr)에 올려 주세요.
손끝에서 맴돌던 이야기가 어린이들의 손에 쥐어지도록 길벗스쿨이 함께 만들겠습니다.

제품명 : 이상한 과자 가게 전천당 15   주   소 : 서울시 마포구 월드컵로 10길 56 (서교동)
제조사명 : 길벗스쿨   전화번호 : 02-332-0931
제조국명 : 대한민국   제조년월 : 판권에 별도 표기
사용연령 : 8세 이상   KC마크는 이 제품이 공통안전기준에 적합하였음을 의미합니다.

공식 가이드북 출간

이상한 과자 가게

전천당

히로시마 레이코 글
쟈쟈 그림
김정화 옮김

풍부한 해설의
과자 도감

가게 모습과
등장인물이
컬러 그림으로!

미공개 스토리,
네 칸 만화도 있어요!

전천당 세계를
더 즐겁게! 더 자세히!

"어서 오십시오.
특별한 보석을 수집하는
〈마석관〉입니다."

비밀의 보석 가게
마석관

©Reiko HIROSHIMA
& Miho SATAKE

〈이상한 과자 가게 전천당〉 작가의 신작 판타지

특별한 힘을 가진 보석 때문에 얽히고설킨 이야기!

때론 가슴 벅차게, 때론 스릴 있게 펼쳐진다.

히로시마 레이코 글 | 사타케 미호 그림 | 김정화 옮김 | 168쪽 | 12,000원

"여기는 트러블 여행사.
골치 아픈 문제가 생긴 손님에게
최고의 여행을 제공하지."

트러블 여행사

꼬마 손님 앞에 주어진
미션과 그 주위로 모여드는
수상한 사람들, 사막 왕국의 비밀까지…
뜨거운 사막 위에서 펼쳐지는 환상적인 모험 이야기!
과연, 손님은 무사히 여행을 마치고 집으로
돌아갈 수 있을 것인가?

히로시마 레이코 글 | 고마쓰 신야 그림 | 김정화 옮김 | 164쪽 | 12,800원